CB129063

O Sucesso é mais simples do que você pensa

Como trabalhar menos e ter mais prazer em sua vida

Ernie J. Zelinski

O Sucesso é mais simples do que você pensa

Como trabalhar menos e ter mais prazer em sua vida

SEXTANTE

Título original: *The Lazy Person's Guide to Success*
Copyright © 2002 por Ernie J. Zelinski
Copyright da tradução © 2007 por GMT Editores Ltda.
Todos os direitos reservados.

tradução
Carlos Irineu da Costa
preparo de originais
Débora Chaves
revisão
Luis Américo Costa
Sérgio Bellinello Soares
Tereza da Rocha
projeto gráfico e diagramação
Valéria Teixeira
Ilustração e capa
Silvana Mattievich
pré-impressão
ô de casa
impressão e acabamento
Lis Gráfica e Editora Ltda.

CIP-BRASIL. CATALOGAÇÃO-NA-FONTE
SINDICATO NACIONAL DOS EDITORES DE LIVROS, RJ

Z51s Zelinski, Ernie J. (Ernie John), 1949-
O sucesso é mais simples do que você pensa/Ernie J. Zelinski; tradução de Carlos Irineu da Costa. – Rio de Janeiro: Sextante, 2007.

Tradução de: The lazy person's guide to success
ISBN 978-85-7542-274-8

1. Sucesso. 2. Sucesso – Aspectos psicológicos. I. Título.

CDD 158.1
07-0354 CDU 159.947

Todos os direitos reservados, no Brasil, por
GMT Editores Ltda.
Rua Voluntários da Pátria, 45 – Gr. 1.404 – Botafogo
22270-000 – Rio de Janeiro – RJ
Tel.: (21) 2286-9944 – Fax: (21) 2286-9244
E-mail: atendimento@esextante.com.br
www.sextante.com.br

Sumário

Introdução

Há conselhos que parecem bons demais para ser verdade. "Trabalhe duro e consiga tudo o que você deseja na vida" é um deles. Nada mais longe da realidade. No Ocidente, é comum a pessoa cumprir longas jornadas de trabalho durante anos a fio e jamais chegar perto de conquistar seu objetivo. E pode ser pior: nos países menos desenvolvidos, trabalha-se ainda mais arduamente para conseguir menos recompensas.

É fato que nunca houve tanta riqueza nos países industrializados. Por outro lado, não pára de aumentar o estresse e a insatisfação por excesso de trabalho. As pessoas andam tão atarefadas que se arrastam à beira da exaustão. Diante disso, qualquer um se questionaria: "O que está acontecendo? Por que estamos conduzindo nossas vidas de forma a destruir nossos corpos, mentes e almas?"

Uma das premissas deste livro é a de que trabalhar demais gera resultados inadequados, como cansaço, estresse e tiques nervosos. Jornadas de 12 horas ou mais por dia deixam pouco tempo para as atividades de lazer que realmente contribuem para a satisfação pessoal. O problema é que todo mundo foi condicionado a pensar que o sucesso depende da dedicação total ao trabalho, entre outros sacrifícios.

Lembre-se de que o caminho para a infelicidade se caracteriza pelo esforço de obter algo desnecessário. Mas as coisas não precisam ser assim. Basta colocar o dinheiro e os bens materiais em seus devidos lugares. Eles não podem se tornar mais importantes do que o seu estilo de vida.

Todos os grandes feitos da história da humanidade começaram com uma idéia simples.

Todos nós temos esse tipo de pensamento.

Poucas pessoas, contudo, agem de acordo com ele.

O que você pretende fazer a respeito disso?

"Tudo o que somos é resultado do que pensamos."
BUDA

"A riqueza é produto da capacidade de raciocínio do homem."
AYN RAND

Pare de desperdiçar seu tempo com atividades insignificantes ou com objetivos que em nada contribuem para sua felicidade. Desnecessário dizer que pessoas insatisfeitas não se consideram bem-sucedidas.

A alternativa para a mentalidade de "trabalhar até cair" que predomina nas sociedades ocidentais é buscar apenas as coisas que façam uma diferença positiva na vida. A maioria dos nossos "objetos do desejo" – posições de chefia, mansões luxuosas, carros potentes e profissões da moda – contribui muito pouco para a realização pessoal e para o sucesso. Ainda assim, todo mundo persegue esses símbolos de status.

Para ser razoavelmente preguiçoso e altamente produtivo é preciso ser inteligente e criativo. Se você gasta tempo demais com as coisas erradas, saiba que esse padrão não o levará muito longe. Use com sabedoria os meios disponíveis – tempo, energia, criatividade, motivação, paciência e coragem – e aproveite as coisas boas da vida.

Uma pessoa certa vez comentou comigo que, quando precisava de algo urgente e feito com simplicidade, chamava um preguiçoso. Obviamente não estou me referindo à preguiça negligente, desleixada e improdutiva, mas à preguiça produtiva – esta, sim, pode lhe trazer muitas coisas valiosas.

Neste livro, o termo preguiçoso se refere a quem pratica a preguiça positiva e produtiva. Basta se esforçar moderadamente para perceber que é muito mais simples ser um preguiçoso bem-sucedido do que "trabalhar duro e divertir-se pouco". Aqueles que entrarem para o time irão perceber isso ao compararem as recompensas e o esforço para conquistá-las.

O fundamental para conseguir a façanha de trabalhar menos e ainda assim ganhar mais é ser inteligente. Apesar de as regras serem muito simples, colocá-las em prática não é nada fácil. É preciso um nível razoável de comprometimento, bem como uma boa dose de persistência. O segredo é concentrar-se nos objetivos, não no número de horas dedicadas a alcançá-los. O resultado final é impressionante, tanto em termos financeiros quanto em relação ao estilo de vida equilibrado que você poderá desfrutar.

Ser capaz de identificar o que é e o que não é importante em sua vida é um dos pré-requisitos do preguiçoso bem-sucedido. Isso inclui não apenas atividades com as quais você está envolvido no momento, mas também os objetivos que você espera alcançar.

A verdade é que a maior parte das coisas neste mundo não é realmente importante.

É um grande erro perder tempo com o que não tem valor em vez de se dedicar às coisas que são interessantes de fato.

"Não basta ser ocupado. A pergunta é: estamos ocupados com o quê?"
HENRY DAVID THOREAU

"Você pode acabar se tornando um mero espectador em um mundo fascinante. É comum vivermos acorrentados sem nem mesmo perceber que temos a chave do cadeado."
THE EAGLES

Quando tiver absoluta clareza do que lhe traz mais satisfação, descubra a forma mais eficiente de conquistar esses "prêmios". Isso significa direcionar sua energia para o que você ama e para as coisas que você faz com competência. Seguindo o mesmo raciocínio, é importante minimizar o tempo gasto em coisas desinteressantes e no que você não faz bem.

Alguns dos princípios deste livro parecem óbvios demais, mas, curiosamente, é isso que torna extremamente difícil sua aplicação no dia-a-dia. As pessoas tendem a ignorar as coisas banais e simples. Caso você não possua essa estranha necessidade de complicar a própria vida e esteja de fato procurando uma forma tranqüila de atingir a prosperidade e o bem-estar, então as regras do preguiçoso bem-sucedido foram feitas sob medida para você.

Elas o ajudarão não apenas a ser um sucesso como também a atingir um grau de liberdade que poucas pessoas possuem.

Para os realmente preguiçosos

Há várias formas de ler este livro: página a página, cotejando os tópicos e epígrafes com o texto corrido; ou concentrando-se apenas nas frases mais poéticas e que de certo modo resumem a idéia geral, ou vice-versa. Seja qual for a forma escolhida, *O sucesso é mais simples do que você pensa* lhe mostrará como ser bem-sucedido em seus próprios termos.

Se você é realmente preguiçoso e tiver a coragem de aplicar os princípios listados neste livro no trabalho, em casa e em qualquer outro lugar, certamente se tornará mais rico, criativo, perceptivo, produtivo, brincalhão – e, ainda por cima, trabalhará menos e terá mais prazer em sua vida.

No final das contas, o que a maioria das pessoas acredita ser fundamental para o sucesso criativo não é tão importante assim.

E o que elas pensam ser insignificante é imensamente mais valioso do que podem imaginar.

Para ser mais bem-sucedido, aprenda a distinguir o que é inútil do que é realmente expressivo.

Ao fim, você será considerado não apenas um gênio, mas também um guru.

"O sucesso é algo relativo: é o que conseguimos tirar da bagunça em que transformamos as coisas."
T. S. Eliot

CAPÍTULO 1

PARA SER BEM-SUCEDIDO, TENTE TRABALHAR MENOS E PENSAR MAIS

Seja realista. Você já pensou na hipótese de o trabalho árduo não ser tudo isso que dizem a respeito dele?

É melhor pensar nisso.

Aceitar esse fato mudará sua vida.

"Não há nenhum tipo de ócio que nos seduza tanto quanto aquele que se torna digno por se parecer com um negócio."
SAMUEL JOHNSON

"É impossível idealizar o trabalho árduo. Antes de começar a suar, é melhor tirar o seu elegante paletó. Quanto mais bruto é o trabalho, mais seu idealismo se fragiliza e mais obscurecida fica sua mente."
D. H. LAWRENCE

O sucesso geralmente custa caro

Esta é uma de minhas histórias favoritas, que dará o tom não apenas deste capítulo, mas de todo o livro. Muitas vezes a conto quando ouço alguém dizendo que certamente já teria se tornado milionário se tivesse trocado o sossego e a tranqüilidade de seu dia-a-dia por um estilo workaholic de ser. Ela me permite ver a vida sob outra perspectiva. Espero que ajude você a fazer o mesmo.

Um rico empresário de Nova York partiu para uma temporada de férias de duas semanas na Costa Rica. Em seu primeiro dia por lá, ficou impressionado com a qualidade e o sabor dos peixes que comprou de um pescador local. No dia seguinte, encontrou novamente o pescador no cais, mas ele já havia vendido tudo. O americano descobriu que o homem pescava em um local escondido e que só pegava cinco ou seis peixes a cada dia. Ficou curioso: por que ele não passava mais tempo no mar para pegar mais peixes?

– Mas, senhor – respondeu o pescador –, eu durmo tarde e por isso acordo às nove ou dez da manhã. Em geral, brinco um pouco com meus filhos e depois vou pescar durante uma ou duas horas. À tarde, durmo um pouco e, quando anoitece, janto com minha família. À noite, vou até o vilarejo encontrar os amigos para beber vinho, tocar violão e cantar. Como pode ver, tenho uma vida plena, relaxante, satisfatória e feliz.

– Mas você poderia pegar muito mais peixes e, assim, construir um futuro próspero – o empresário respondeu. – Tenho um MBA de Harvard, moro em Nova York e sei tudo a respeito de negócios e marketing. Posso ajudá-lo a ser mais bem-sucedido. – E continuou: – A melhor forma de se preparar para o futuro é acordar bem cedo pela manhã e passar todo o dia pescando ou retornar para pescar mais à noite. Em pouco tempo, com o dinheiro extra, você poderá comprar um barco maior. Dentro de dois anos, é possível que tenha seis barcos para alugar para outros pescadores. Após mais cinco anos, terá condições de construir uma fábrica para processamento de pescado e até ter uma marca própria desses produtos.

– Depois, dentro de mais seis ou sete anos – prosseguiu o americano, sob o olhar perplexo do costa-riquenho –, você poderá se mudar para Nova York ou São Francisco e deixar outra pessoa tomando conta de sua fábrica, enquanto você cuida do marketing de seus produtos. Se trabalhar duro durante 20 anos, poderá se tornar um multimilionário e, então, nunca mais terá que trabalhar pelo resto da vida.

Mais um choque de realidade para você pensar atentamente...

No Ocidente, o principal obstáculo para que as pessoas sejam bem-sucedidas é a preguiça.

Para um número ainda maior de pessoas, contudo, o que as impede de atingir o verdadeiro sucesso é o fato de que trabalham demais.

"Como ser bem-sucedido: tente quanto puder. Como falhar: tente além de suas possibilidades."
MALCOLM FORBES

"A sabedoria do erudito vem naturalmente nas horas de lazer; aquele que está livre de afazeres deverá se tornar um sábio."
APÓCRIFO, ECLESIÁSTICO 38:25

– E o que eu faria, senhor? – perguntou o pescador.

Sem hesitar, o rico empreendedor respondeu, entusiasmado:

– Ora, poderia se mudar para uma cidade pequena em algum país tranqüilo, como o México, onde poderia dormir até tarde, brincar com as crianças do vilarejo, divertir-se com longos jantares à noite e depois tocar violão, cantar e beber vinho com seus amigos todas as noites.

A moral dessa história é que o sucesso, tal como é definido na sociedade ocidental, custa caro demais em termos de saúde física e mental, vida familiar, social e pessoal. Qual é o sentido de trabalhar durante muitos anos, sacrificando o bem-estar, quando é possível ser igualmente feliz hoje sem trabalhar tanto?

Fama e fortuna podem estar no topo da sua lista de recompensas desejadas, mas não esqueça os sacrifícios que terá que fazer em nome do sucesso: longas horas de trabalho árduo, afastamento da família, riscos financeiros e sofrimento emocional e físico. O pior é que poucos atingem o sucesso, não importa quão duro trabalhem.

Dezenas de milhares de pessoas estão neste exato momento tentando ficar milionárias. Infelizmente, nunca atingirão seus objetivos. A maioria se lança em empreitadas comerciais com o único objetivo de ganhar dinheiro, poder e fama, sem levar em conta seus talentos, habilidades e desejos – trabalha muito desenvolvendo produtos, criando planos de negócios e tentando obter investimentos, até finalmente falir.

A falta de alegria e de satisfação aumenta exponencialmente as chances de essas aventuras terminarem em fracasso. Muitos empreendimentos que atraem nossa atenção à primeira vista se revelam contraproducentes a longo prazo. Não há dúvida de que a taxa de sucesso seria muito maior caso os projetos fossem mais sintonizados com a própria natureza e a paixão de cada pessoa, em vez de com seu potencial financeiro.

A extrema dedicação ao trabalho pode levar à riqueza, ou mesmo à fama, mas sempre haverá um custo. A questão é saber se a pessoa está disposta a pagar o preço em termos de tempo, energia e privações pessoais. Fica fácil dizer sim quando não se tem uma compreensão completa dos dilemas e circunstâncias que poderão surgir.

A verdade é que fama e fortuna podem custar muito mais do que você imagina. Talvez seja necessário sacrificar prazeres e luxos, além de tempo, dinheiro, energia, atividades sociais e familiares. Para piorar, enquanto o dinheiro for o principal objetivo

Os mestres zen enfatizam a importância de estarmos conscientes de quem somos e do que estamos fazendo.

Buda significa "aquele que despertou".

Despertar significa estar atento às escolhas feitas nas atividades que você realiza.

Dedicar-se às coisas erradas, mesmo que com competência, não lhe trará sucesso e felicidade na vida.

"Não há nada que seja sempre uma boa coisa a se fazer e quase sempre uma boa coisa para se dizer."
WILL DURANT

de sua vida, você não conseguirá ser um parceiro interessante, tampouco um bom pai ou uma boa mãe. A tentação de ficar rico pode até mesmo levá-lo a colocar em segundo plano seus valores morais e éticos. Você está preparado para isso?

Há outras coisas que ainda não foram mencionadas: o que dizer de sua saúde, sua liberdade e sua auto-estima? Esses são apenas os custos imediatos; os de longo prazo são uma incógnita, já que trabalhar 12 horas por dia pode ser um preço abusivo por algo que, no fim das contas, não lhe trará a felicidade que você espera.

Muitas pessoas se arrependem de ter empregado toda a sua energia nisso. Não estou me referindo aos tipos neuróticos ou confusos que não sabem o que querem da vida. Estou falando de pessoas inteligentes, equilibradas e bem-sucedidas. Vamos tomar como exemplo o americano George Soros, o famoso especulador do mercado financeiro que acumulou uma fortuna estimada em US$ 5 bilhões.

Soros chegou a declarar a um repórter do jornal canadense *National Post* que trocaria tudo pela chance de ter uma carreira intelectual, sua verdadeira paixão. Segundo ele, "seria muito mais prazeroso ser reconhecido como filósofo". Quando lhe perguntaram se trocaria sua fortuna por esse reconhecimento, ele respondeu: "Sim, com certeza."

Esse tipo de desabafo não é incomum. Muita gente se dedica obsessivamente ao trabalho, acumula quantias substanciais e depois conclui que tudo foi em vão. É como se finalmente compreendessem que menos dinheiro pode ser muito mais divertido.

Sacrificar um estilo de vida tranqüilo pela possibilidade de ficar milionário em algum momento distante no futuro certamente não contribui para alcançar a felicidade e a consciência da prosperidade. Há coisas indispensáveis que não podem ser medidas pelo seu valor financeiro. Uma delas é ter uma vida plena e satisfatória.

A alternativa é sentir-se satisfeito e contente hoje. Escolha fazer algo de que você goste e, em paralelo, divirta-se com atividades de lazer criativas. Isso requer um pouco de preguiça, mas, ao mesmo tempo, alta produtividade.

O comportamento da sociedade não é referência para se construir uma vida feliz

Em 1919, ao ser criticado por chegar constantemente atrasado ao trabalho, Lord Castlerousse retrucou: "Pense em quão cedo eu saio." Não sei qual é a sua opinião, mas eu gosto dessa forma de pensar. Não há dúvida de que, ao começar a trabalhar mais

Existem três tipos de trabalhadores:

O primeiro é o preguiçoso bem-sucedido, inteligente e criativo, que trabalha de forma moderada e produz muito.

O segundo é o workaholic, que trabalha muito e produz pouco.

O terceiro não produz nada e não merece ser mencionado.

Qual deles você deseja ser?

"Não conheço nada mais desprezível e patético do que um homem que dedica todas as horas de seu dia a ganhar dinheiro apenas pelo prazer de ganhar dinheiro."

JOHN D. ROCKEFELLER

tarde e terminar mais cedo, Lord Castlerousse teve mais tempo livre do que a maioria dos trabalhadores de sua época. E soube viver de forma mais equilibrada, inclusive em comparação aos dias de hoje.

Isso revela um grande problema da sociedade atual: a maior parte das pessoas desaprendeu a viver bem e divertir-se no dia-a-dia. Adotar uma atitude mais relaxada e despreocupada como a de Lord Castlerousse faria muito bem a todo mundo.

Quando o século XXI começou de fato, a economia de grande parte das nações ocidentais já estava a pleno vapor há alguns anos – com uma intensidade sem precedentes. Ainda assim, a massa trabalhadora, incluindo altos executivos, apresentava problemas de moral baixo, fadiga e qualidade de vida duvidosa.

A cada ano surgiam novos estudos mostrando que as pessoas estão sempre mais estressadas e menos satisfeitas do que no ano anterior. Agora que a situação econômica deu uma guinada para pior, pergunte aos trabalhadores americanos como está a situação deles e você os ouvirá reclamar de semanas de 70 horas de trabalho e pouquíssimo tempo para descansar. O resultado não é apenas a exaustão física, mas também o estresse emocional, a falta de perspectivas e o desespero interior.

Para ser bem-sucedido, é preciso trabalhar mais do que o habitual e diminuir o tempo dedicado ao lazer. É inegável a insatisfação das pessoas com elas mesmas e com a vida de forma geral. Dentre as muitas evidências dessa triste situação está o fato de que não há substância no seu dia-a-dia.

Outro efeito colateral, especialmente no Canadá e nos Estados Unidos, é a onda consumista. Para não falir, as pessoas são obrigadas a manter empregos que as deixam frustradas e insatisfeitas, trabalham um número abusivo de horas e, em conseqüência, passam ainda menos tempo com familiares e amigos. Quando têm algum tempo livre, estão tão endividadas, infelizes, cansadas e deprimidas que não desfrutam esse raro momento.

Mesmo os mais ricos vivem de uma forma pobre. Dê uma volta em um bairro chique e veja quantas pessoas estão se divertindo descontraidamente em suas mansões. Quem recebe altos salários continua interessado em aumentar cada vez mais sua riqueza e seu sucesso, como se a paz de espírito e a felicidade fossem um sonho distante.

A maioria das pessoas se encontra em um estado de negação a respeito de como suas vidas estão fora de sintonia com seus valores e crenças. Em minha opinião, o principal fator que contribui para isso é o hábito de repetir o que os outros estão fazendo. O instinto de seguir o rebanho é muito forte, talvez porque

Nunca se sinta culpado por ser preguiçoso.

A sociedade quer que você acredite que ser preguiçoso é ser improdutivo.

Muito pelo contrário:

Ser preguiçoso significa minimizar o tempo gasto com coisas que você não gosta de fazer e maximizar o tempo gasto com as coisas que você gosta de fazer.

"Em vez de gastar tempo treinando para não ter medo de cobras, evite-as."

RICHARD KOCH

"Aquele que não se dedicar imediata e desesperadamente à labuta será chamado de vagabundo, ainda que possa estar o tempo todo batendo às portas do céu."

HENRY DAVID THOREAU

nos desobrigue de pensar por conta própria. É muito mais fácil tentar se adequar à maioria do que questionar o que essa maioria está fazendo e, depois, fazer algo diferente.

Na sociedade de consumo contemporânea, os publicitários e a mídia ditam o que as pessoas devem querer. Erich Fromm, em seu livro *O medo, a liberdade*, afirmou: "O homem contemporâneo vive a ilusão de achar que sabe o que quer, quando na prática quer apenas o que lhe dizem para querer."

No que diz respeito a ser bem-sucedido, existem duas opções:

fazer parte do sistema e trabalhar arduamente ou buscar uma vida dedicada ao lazer. Por um lado, ninguém quer trabalhar mais durante mais tempo; por outro, ninguém atingiu a independência financeira para deixar tudo de lado. Como você se enquadra nessa situação? Vamos ser francos: trabalhar duro, horas a fio, apenas para obter segurança, status, poder e bens materiais deixa muito a desejar. Quem sabe não estão faltando elementos espirituais e psicológicos?

Talvez essa afirmação o deixe indignado, como, aliás, acontece com a maioria das declarações que são verdadeiras e desejamos negar, mas vamos lá: se sua vida está longe de ser satisfatória e plena como você gostaria que fosse, saiba que você é o responsável pelo estresse físico e pelo desconforto emocional que esteja sentindo. Afinal, ninguém o está forçando a viver sempre apressado; tudo isso é resultado do mau hábito de copiar o que os outros estão fazendo.

Tranqüilize-se. Você é apenas mais um entre muitos que têm vidas caóticas e desequilibradas. Parece fácil seguir a manada em vez de pensar de forma diferente e fazer as coisas por conta própria, mas a verdade é que existem riscos. Quando acontece o estouro da boiada, é difícil parar. Sempre que um rebanho causa muitos danos, nenhum de seus membros está disposto a assumir a responsabilidade.

Poucos ousam deixar sua criatividade e sua sabedoria interior orientar suas vidas; a maioria prefere seguir a manada. Você não precisa ser um deles. Por que gastar tempo, energia e dinheiro correndo atrás de algo de que você não precisa e de que talvez nem mesmo goste? Seguir a maioria das pessoas em sua busca equivocada pela felicidade não tem o menor sentido.

Quanto mais atenção você der ao que as massas estão fazendo, mais irá perceber que a abordagem do tipo “tudo-o-que-os-outros-estão-fazendo” não é a melhor forma de deixar sua marca no mundo. Olhando mais detalhadamente, a maioria não

Muitas pessoas, ao morrer, lamentam não terem feito determinadas coisas.

A maneira mais fácil de repetir o erro é unir-se à multidão em vez de trilhar seu próprio caminho.

"Pare de sonhar e você pode acabar perdendo a cabeça."
ROLLING STONES

"Aposte sempre no progresso e esqueça o sucesso."
HELEN HAYES

possui qualquer relevância no que diz respeito a levar um estilo de vida feliz e saudável. Embora a facilidade seja tentadora, lembre que seus sonhos têm sentido e que há coisas mais importantes a fazer.

Um de seus maiores objetivos deveria ser o de se tornar a mais verdadeira e mais completa versão de você mesmo. Quando perguntaram a Leonardo da Vinci qual era a maior realização de sua vida, ele respondeu: "Leonardo da Vinci." Nesse ponto, os mestres zen são coerentes: não nos pedem para ser nada diferentes do que somos.

Provavelmente, o maior desafio é ser fiel a seus próprios desejos. Perseguir a aprovação dos outros, tentando imitá-los, é um jogo que quase sempre resulta em empate. Se deixar impressionar por suas posses significa perder de vista o seu verdadeiro eu. Para ser fiel a si mesmo, basta saber o que é importante para você e somente para você.

É preciso ter certeza de que as escolhas são realmente suas. Citando o poeta E. E. Cummings: "Ser nada-mais-que-si-mesmo em um mundo que está tentando com todas as forças fazer com que você seja como os outros significa lutar a mais dura das batalhas que qualquer ser humano é capaz e jamais parar de lutar."

O atalho mais rápido para o sucesso é reavaliar o que ele significa para você

Essa é a questão fundamental que este livro propõe: para ser mais bem-sucedido, tente trabalhar menos e pensar mais do que a maioria das pessoas. Dependendo do grau em que essa proposta for aplicada, você conseguirá determinar quanto sucesso terá e quão duro precisará trabalhar para atingi-lo.

A questão fundamental é: o que o sucesso realmente significa para você? Cada indivíduo tem uma visão diferente, de acordo com o momento de sua vida: os otimistas se sentirão bem-sucedidos, enquanto os pessimistas se dirão fracassados. A maneira mais difícil de alcançar o sucesso é deixar que outros definam os parâmetros para você.

Se decidir ouvir seus amigos, parentes ou os publicitários, acabará sentindo uma enorme pressão para fazer tudo ao mesmo tempo: ter um(a) companheiro(a) atraente; criar uma família perfeita; ter um trabalho bem pago; visitar lugares exóticos nas férias; viver em uma enorme casa; dirigir um carro de luxo; e ainda guardar um milhão para quando se aposentar.

Atingir todas essas metas pode até ser possível, mas é altamente improvável. Além disso, mesmo que você seja muito bem-sucedido, poderá se sentir um fracassado se isso não representar algo que você realmente deseja da vida. Seja inteligente e mantenha-se alerta para os atalhos que levam ao sucesso. Em relação a isso, o atalho mais criativo é pensar mais profundamente sobre

Sempre questione o que seus vizinhos dizem, fazem ou pensam.

É insensato usar o comportamento da maioria da sociedade como uma referência para sua própria vida.

Faça isso e se prepare para ter muitos desapontamentos e desilusões.

Poucas vezes o que a maioria busca é o que traz alegria, satisfação e liberdade para cada pessoa individualmente.

"A maioria das estradas muito conhecidas leva a lugar nenhum."
ANÔNIMO

"Quando todos pensam da mesma forma, então ninguém está pensando."
WALTER LIPPMANN

o que o sucesso significa para você. Em última instância, você poderá ter sucesso ou não, dependendo da forma como o definir.

O erro mais grave que as pessoas cometem é não definir o sucesso segundo seus próprios parâmetros. Eu sei o que o sucesso significa para mim. Mas... e você? É capaz de identificar no que sua definição de sucesso difere da tradicional, que envolve fama e fortuna? Essa clareza é importante para que possamos ter objetivos e sonhos pessoais.

É claro que é preciso ser razoável na hora de definir quanto sucesso você pretende atingir. Nada de fixar metas impossíveis. Quanto mais realistas, mais possíveis. Por outro lado, alcançar seu objetivo pelo caminho mais fácil deixaria você sem qualquer sentido de realização e muito pouco satisfeito.

A felicidade e a satisfação dependem da conquista de algo importante de fato. É preciso que haja esforço e risco envolvidos para que você se sinta plenamente realizado. O segredo é escolher metas ousadas, porém ainda assim que possam ser alcançadas. Em última instância, é melhor atingir a maioria de seus objetivos do que nenhum.

Dentro do espírito zen, que prega atenção minuciosa aos detalhes, sugiro uma abordagem holística para definir o que o sucesso significa para você. De preferência, incluindo todas as coisas que podem proporcionar uma vida feliz, entre elas um trabalho importante, saúde física, mental e espiritual, amizade, amor, segurança, paz de espírito e tempo livre.

Se você estiver tentando imaginar qual é a minha definição de sucesso, saiba que ela muda com o tempo, mas não varia muito. Para mim, sucesso é ter liberdade e independência para fazer o que desejo na hora que quiser. Depois de acordar e tomar um café da manhã bem leve, minhas prioridades são fazer exercícios durante uma hora ou duas e me dedicar a outras atividades de lazer, como encontrar amigos na hora do almoço.

Ao contrário da maioria das pessoas, trabalho onde estiver, o que em geral significa escrever no meu laptop em um de meus cafés favoritos. Eu trabalho em média quatro ou cinco horas, às vezes menos, e só raramente chego a uma jornada de sete ou oito horas. Apesar de não ganhar tanto dinheiro quanto poderia se trabalhasse mais, vivo com conforto e liberdade. Não trocaria meu atual estilo de vida por um trabalho estressante que me rendesse US$ 1 milhão por ano.

Eu já pensava assim há muitos anos, quando passei por

Você terá uma vida muito mais fácil se parar de seguir o rebanho.

Suas chances de levar uma vida plena, tranqüila, satisfatória e feliz aumentam na proporção direta de quanto você se encontra em descompasso com o resto da sociedade.

Na verdade, quanto menos convencional e mais excêntrico você for, melhor.

"O que as multidões desejam é mediocridade no mais alto grau."
ANTOINE-AUGUSTIN PRÉAULT

"O maior perigo dos tempos atuais é que tão poucos tenham a coragem de ser excêntricos."
JOHN STUART MILL

dificuldades financeiras e não sabia de onde iria tirar dinheiro para pagar o aluguel do mês seguinte. Sucesso, para mim, não significa ter uma conta bancária recheada, embora eu provavelmente ficasse satisfeito de chegar a esse ponto através das coisas que crio. Acredito que o verdadeiro sucesso seja gerenciar o dinheiro com sabedoria, de forma a poder comprar as coisas básicas e ainda ter uma pequena folga para alguns luxos, como comer em um bom restaurante de vez em quando.

Criar uma boa reserva dá uma sensação de liberdade e pode ser útil caso eu resolva ficar à toa durante um ano inteiro ou, então, caso minha renda caia por algum motivo. Em minha opinião, sucesso não é apenas ter tempo disponível, mas a capacidade de aproveitar ao máximo as atividades de lazer. Muitos multimilionários têm os meios para se envolverem com as brincadeiras mais caras do planeta, mas não a capacidade de relaxar.

Da forma como vejo a questão, ao se deixarem controlar pelo dinheiro e pelo trabalho, os multimilionários acabam colocando em risco seu sucesso, pois ficam sem tempo para aproveitar as pequenas coisas da vida. É fundamental tirar proveito das atividades mais simples para poder se divertir com os prazeres mais luxuosos.

Ter sucesso é muito mais do que ter tempo para o *dolce far niente*. É também saber usar com sabedoria esse tempo livre. Por isso, a primeira regra é cuidar da saúde, o que pode ser feito facilmente – basta reservar diariamente algumas horas para fazer exercícios e meditar.

Ter um objetivo valioso para conquistar é um ponto fundamental. O meu objetivo é ajudar as pessoas a desenvolverem seus potenciais e progredirem na direção de seus sonhos. Como muitos autores, recebo feedback dos leitores e posso garantir que não há satisfação maior do que receber uma carta, um e-mail ou um telefonema de alguém que tirou proveito da leitura de meus livros.

Outro ingrediente é ter sonhos que possam ser alcançados. Um dos meus sonhos prediletos é que um de meus livros entre na lista de mais vendidos do *New York Times*. Não se trata de um sonho essencial para minha felicidade, mas eu ficaria imensamente feliz se ele se concretizasse. É assim que me mantenho motivado em minha carreira.

Acho que já disse o bastante sobre o que o sucesso significa para mim. Vamos pensar em você: o que o sucesso realmente significa para você? Não esqueça que seu nível de expectativa a respeito do que seria uma vida bem-sucedida irá determinar quão bem-sucedido você se sente. Ao mesmo tempo, lembre-se de não subestimar sua meta a ponto de não sentir prazer algum em conquistá-la.

Para os preguiçosos bem-sucedidos, um dos segredos do sucesso é recusar-se a aceitar como seu o que o senso comum considera como sucesso.

É sábio definir o sucesso conforme nossas próprias crenças, não de acordo com as crenças alheias.

Ao fazer isso, você conquistará o sucesso de forma mais tranqüila e satisfatória.

"Podemos dizer que uma pessoa é bem-sucedida quando viveu bem, riu bastante e amou muito; quando obteve a confiança de mulheres castas, o respeito de homens inteligentes e o amor das crianças; quando ocupou seu espaço e realizou o que lhe cabia, deixando o mundo melhor do que antes, seja por uma papoula cultivada, por um poema perfeito ou pela salvação de uma alma; quando persistiu em apreciar a beleza da Terra e fez questão de expressá-la; quando procurou o melhor em todos e lhes deu o melhor de si; quando sua vida foi uma inspiração e sua memória, uma bênção."

BETTY ANDERSON STANLEY

Seja sincero e examine minuciosamente sua vida para tentar determinar o que pode realmente contribuir para a sua felicidade neste momento. Para que sua vida mude para melhor, talvez seja necessário mudar sua relação com o dinheiro, os bens materiais, o tempo disponível, o trabalho, e até mesmo com as outras pessoas.

O que define o seu sucesso não é o fato de se tornar um multimilionário. Muito pelo contrário. Você percebe que é feliz quando o dinheiro deixa de ser importante em sua vida. Algumas pessoas atingem esse estado com posses modestas; outras nunca chegam lá, mesmo depois de ganhar milhões.

Uma vida bem-sucedida pressupõe o domínio pleno da mente. Um sinal nítido de descontrole é quando os amigos, os parentes, a sociedade e as empresas de marketing influenciam fortemente sua visão do que é ser bem-sucedido. É recomendável avaliar e reavaliar constantemente o que o sucesso representa para você – e apenas para você.

O sinal mais significativo de que você está no caminho certo para levar uma vida tranqüila, satisfatória e feliz é quando você descobre que a sua definição de sucesso é diferente de qualquer outra na face da Terra. Na verdade, a certeza de que você atingiu esse ponto depende sempre de quem está observando.

Não se esforçar para conseguir o que deseja é mais difícil do que trabalhar duro para isso

A pergunta que vale um milhão é: o que o sucesso significa para você?

Agora, a pergunta que vale dois milhões: como você vai chegar lá?

Este livro defende o método "pensar mais e trabalhar menos". Trata-se de uma mudança de abordagem no que diz respeito a

Para se tornar um preguiçoso bem-sucedido – relaxado, tranqüilo, produtivo e realizado –, você precisa estar motivado.

Primeiro: você precisa estar motivado para pensar e decidir o que é interessante para você.

Segundo: você precisa estar motivado para imprimir excelência às coisas importantes.

Terceiro: você precisa estar motivado a ponto de parar de desperdiçar seu tempo com o que não é importante.

Por último: você precisa estar motivado para levar as coisas numa boa e aproveitar a vida ao máximo.

"Tem sido meu destino, ao longo de toda uma vida de trabalho, ser reconhecida especialmente pela virtude equivocada da dedicação, uma qualidade tão excelente em termos morais quanto insatisfatória em termos artísticos."

MARGARET OLIPHANT

como se tornar uma pessoa bem-sucedida. Se você quiser trocar o buraco em que mora por algo mais parecido com o Taj Mahal, precisará analisar friamente o tipo de amigos que possui, o tempo que gasta diante da TV, seu nível de motivação e de criatividade, suas crenças, sua escolha de carreira, suas paixões e também se você sofre da síndrome "cabe-ao-mundo-me-sustentar". Resumindo: você vai precisar se esforçar para trabalhar de forma mais inteligente.

De qualquer forma, caminhar em direção a seus sonhos ainda requer coragem e algumas ações. Mesmo o pescador da Costa Rica que leva uma vida tranqüila, satisfatória e feliz precisa se esforçar minimamente para mantê-la assim. É verdade que ele trabalha poucas horas por dia, mas precisa trabalhar o suficiente para gerar seu sustento. Você deve fazer a mesma coisa, se quiser que sua vida seja cheia de satisfação e felicidade.

Algumas pessoas preferem insistir em conseguir realizar seus sonhos sem suar a camisa, o que é quase impossível. Não fazer nada é, de certa forma, mais difícil do que trabalhar duro. Não caia na armadilha de acreditar que outra pessoa irá resolver os seus problemas, incluindo o seu sustento ao longo da vida. Você pode até achar que merece que alguém lhe proporcione uma vida confortável, talvez até mereça isso, mas, infelizmente, pelo menos mais 2 bilhões de pessoas no planeta também se habilitariam a essa benesse.

A dura realidade é que é improvável que alguém vá proporcionar essa boa vida a você e a mais 2 bilhões de pessoas. Mesmo que fosse possível conseguir algumas das coisas que desejamos sem esforço, não poderíamos chamar isso de sucesso. Não basta vivenciar uma sensação de realização, é preciso saber que merecemos as coisas que conquistamos.

A melhor maneira de conquistar o que você quer é agir nessa direção. Você pode trabalhar dura e longamente com esse objetivo em mente ou tentar descobrir formas mais criativas de trabalhar ainda menos, de modo a arranjar tempo para desfrutar o que for conquistado. O que vale é a satisfação de ter atingido o que desejava na vida. O segundo caminho, contudo, permite que você aproveite e se divirta mais.

O objetivo é conseguir o que você deseja sem muito estresse e

Se você deseja atingir o sucesso e a felicidade, responda a estas duas perguntas:

O que é sucesso?

E o que é felicidade?

Talvez não seja preciso fazer nada além de questionar-se constantemente sobre essas duas coisas para trazer mais felicidade, satisfação e alegria para sua vida.

"Ser bem-sucedido é ter mulheres que você nem conhece circulando em sua casa."
SATURDAY NIGHT LIVE

"Qualquer um que ainda ande de ônibus depois dos 30 anos fracassou na vida."
LOELIA, DUQUESA DE WESTMINSTER

"Você terá atingido o ápice do sucesso assim que parar de se interessar por dinheiro, elogios ou publicidade."
DR. O. A. BATTISTA

ansiedade. Escolha um número razoável de horas que você gostaria de trabalhar. Não importa se são oito ou apenas três horas por dia, o importante é dar o melhor de si durante esse tempo – nem mais nem menos. Eu escolhi trabalhar apenas cinco horas por dia, mas sempre tento dar tudo de mim. A tática tem funcionado. Até o momento, consegui publicar nove livros.

Nada mal, quando se sabe que apenas um entre dez livros escritos nos Estados Unidos chega a ser publicado.

Como é possível ter 100% de sucesso enquanto a maioria dos escritores alcança apenas 10%? É simples: faço o que deve ser feito. Quatro de meus livros foram rejeitados por uma editora. Decidi, então, publicá-los por conta própria.

Meu livro mais vendido, *The Joy of Not Working* (O prazer de não trabalhar), foi originalmente publicado em 1991. Tive que pedir emprestado à minha mãe metade do dinheiro necessário para a publicação, já que meu saldo no banco era mínimo. Desde então, o livro foi publicado não apenas nos Estados Unidos como também foi lançado na China, no Japão, na Espanha, na França, na Polônia, em Portugal e em muitos outros países. Não é preciso mencionar o sentimento de realização que isso me traz, e nada teria sido possível se eu não tivesse dado o melhor de mim durante as quatro ou cinco horas que trabalho diariamente.

Não há nada de errado com a idéia de ganhar a vida de forma mais tranqüila. Na prática, o ideal é manter um equilíbrio saudável entre trabalho e diversão. Apesar de os preguiçosos bem-sucedidos adotarem um ritmo tranqüilo para obter prosperidade e independência financeira, eles sabem que é necessário um esforço contínuo para conseguir qualquer coisa que tenha valor na vida.

As pessoas bem-sucedidas sabem que há outras coisas na vida além de trabalhar pesado e de forma contínua. "O que eu quero é uma dica para ganhar pelo menos US$ 1 milhão nos próximos cinco anos e poder me aposentar, mantendo uma vida boa e confortável até o fim dos meus dias." Sim, essa é uma frase que ouço com freqüência. Lamento informar, mas não é assim que o mundo funciona. Se há algo que você considera importante, trate de ir à luta – ninguém irá fazê-lo em seu lugar.

Crie um plano específico e uma estratégia adequada para

Quando você reflete sobre o real sentido do sucesso, pode ficar assustado demais para perceber a resposta.

Talvez seja necessário deixar que o sonho que você construiu se esfacele.

Você ficará eternamente insatisfeito e descontente se o seu objetivo principal for o sucesso convencional.

"O trabalho, mesmo quando me satisfaz, jamais será como um filho amado ou um servo obediente. Será sempre trabalho exaustivo que faço com minha mão esquerda, e parte de mim olha com rancor o resto da vida."
RUTH BENEDICT

"Alguns aspectos do sucesso me parecem um tanto tolos, agora que a morte se aproxima."
DONALD A. MILLER

obter o que deseja da vida. Milhões de pessoas encontram suas próprias soluções. Eu tenho a minha e você certamente achará uma que se adapte às suas necessidades. Há diversas formas de ajuda disponíveis. Os livros, por exemplo, são uma reserva de conhecimento que pode ser explorada por qualquer um. Todas as respostas para qualquer problema que você possa imaginar já foram publicadas em algum lugar – você só precisa encontrá-las.

Eu descobri, por meio da leitura, tudo o que precisava saber sobre a arte da escrita, como publicar a si mesmo, como vender direitos para outros países, além de formas criativas de promover os livros. Outras fontes excelentes são os seminários, os veículos de comunicação e a internet. Muita gente disponibiliza o conhecimento adquirido de graça ou a um custo relativamente baixo. Isso facilita sua vida, pois evita que você cometa os mesmos enganos que outras pessoas já cometeram.

A autora J. K. Rowling tem aparecido muito na mídia graças aos seus livros sobre Harry Potter. No lançamento do último livro da série, *Harry Potter e o enigma do príncipe*, foram vendidos 6,9 milhões de exemplares apenas no primeiro dia. Rowling é hoje uma multimilionária. A julgar por muitos dos artigos publicados, parece que ela também escreveu várias de suas histórias em cafés, tornando-se rica e bem-sucedida da noite para o dia. Poucas vezes se menciona seu esforço, sua paciência e perseverança. Na verdade, ela levou mais de cinco anos para escrever seu primeiro livro.

Tenha sempre em mente que ser paciente e enfrentar algumas dificuldades em seu caminho para o sucesso possuem um aspecto positivo: quando você chegar lá, vai se sentir realmente bem. Atingir a prosperidade e a abundância por conta própria lhe trará muito mais satisfação do que simplesmente ter nascido em berço de ouro.

Você nem sempre consegue o que quer, mas sempre pode obter muito mais do que imagina

Ao olhar uma seqüência de Porsches, Ferraris e BMWs cruzando pela cidade, é normal ter vontade de desfrutar o prazer de dirigir um carro esporte novinho em folha – é exatamente o que ocorre comigo, quando não estou pensando com clareza. O jeito é ir à luta para ganhar o dinheiro para comprar um.

Se há uma coisa mais insatisfatória do que o fracasso, é o próprio sucesso, porque ele nem sempre traz o que achávamos que traria.

Ter alcançado o sucesso com que você sempre sonhou pode parecer muito tolo uma vez que você tenha chegado lá – especialmente se tiver dedicado a maior parte de sua vida a essa tarefa.

"As pessoas poucas vezes percebem as etapas duras e difíceis que mesmo o sucesso mais insignificante requer."
ANNE SULLIVAN

"A melhor coisa que acompanha o sucesso é a certeza de que dele nada se deve esperar."
LIV ULLMAN

Como a maioria das pessoas, contudo, você provavelmente ainda não atingiu seu potencial pleno, o que significa que você pode conseguir muito mais do que imagina. Você pode comprar um carro esporte superpotente, caso isso seja realmente importante para ampliar sua sensação de sucesso. Mas é bom não esquecer que você nunca terá dinheiro suficiente para comprar todas as coisas interessantes que existem no mundo.

Sua auto-estima é fundamental para a conquista da excelência. Qualquer sensação negativa funciona como um elemento inibidor nesse processo. O sucesso gera sucesso, não necessariamente da maneira que a maioria das pessoas acredita. Elas acham que só é possível ser extremamente bem-sucedido caso já se tenha passado por essa experiência. Isso pode resultar em um impasse e atrapalhar a conquista até mesmo de um sucesso mediano.

Para ser vitorioso, basta estar satisfeito com as coisas que os outros não considerariam um "sucesso". Essa mentalidade positiva o levará a um êxito ainda maior, pois sua percepção do que é ser bem-sucedido – dinheiro, posses, realizações pessoais, talento – funcionará como uma motivação extra para que você busque as outras coisas que também deseja.

Com essa estratégia, o típico preguiçoso bem-sucedido encontra o caminho mais rápido e mais fácil para chegar aonde deseja. Nesse processo, ele cumpre alguns rituais, entre eles o hábito de anotar em um caderno todas as posses e conquistas que já obteve – nas áreas educacional, profissional ou esportiva –, as coisas boas que as pessoas falaram sobre ele e também os verdadeiros amigos que fez.

Sempre que se sentir chateado e mal-sucedido, releia sua lista de sucessos e alegre-se por todas as suas realizações, inclusive as pequenas. Isso o levará a avaliar melhor seu valor no presente e seu potencial de crescimento futuro. O fato de sentir-se feliz com o que possui mostra que você tem uma mentalidade otimista, que o estimula a buscar o sucesso em áreas de sua vida que podem estar esquecidas.

Não há dúvida de que uma grande barreira para o sucesso é a má vontade em aceitar a generosidade do mundo. Mais do que temer o fracasso, ficamos assustados com a possibilidade do sucesso. Pode parecer estranho, mas muitos resistem a abandonar os pensamentos negativos que por tanto tempo têm feito parte de suas vidas.

À primeira vista, pode parecer mais fácil para muita gente permanecer em sua zona de conforto, mesmo que ela seja negativa; mas a verdade é que, se continuarem criticando quem tem

É muito fácil se deixar inebriar pela ilusão do que o sucesso pode fazer pela nossa felicidade.

Contudo, o sucesso e a felicidade são duas coisas completamente diferentes.

O sucesso convencional – uma mansão, uma casa de campo, dois ou três carros de luxo, uma esposa incrivelmente atraente e um cargo poderoso – dificilmente serve para qualquer coisa a não ser tornar a vida extremamente difícil para a maioria das pessoas.

"O sucesso transformou muitos homens em fracassados."
CINDY ADAMS

talento e reclamando dos tempos ruins, essas pessoas vão perder a chance de participar. Só podemos conquistar as coisas que desejamos quando optamos por uma visão mais positiva do mundo.

O mundo é pródigo. A questão é que nada é entregue em uma bandeja de prata, mas sob a forma de oportunidades. Para conseguir o que queremos, precisamos acreditar que somos merecedores dessas oportunidades. Temos que confiar em nosso talento e em nossa criatividade de forma a tirar mais proveito da vida.

Explorar mais o próprio potencial é a chave para capitalizar melhor as chances que a vida lança em nossa direção. Há pessoas que tiveram uma infância difícil, cheia de infortúnios, com problemas de saúde e de dinheiro, além de pouca educação formal, mas, mesmo assim, se tornaram incrivelmente vitoriosas. Por outro lado, há quem tenha tido uma infância feliz, educação formal de qualidade, uma família estruturada, dinheiro disponível e excelente saúde e, no entanto, conseguiu destruir a própria vida.

Os psicólogos afirmam que a maioria das pessoas não chega nem perto de explorar seu pleno potencial. Mais do que isso – desconhece sua capacidade, embora nem sempre isso seja determinante para nos impedir de obter o que desejamos. A esse respeito, devo dizer que conheço minhas limitações como escritor. Nunca chegarei perto de um George Bernard Shaw ou de qualquer outro ganhador do Prêmio Nobel de Literatura. Creio mesmo que, se me dessem algum prêmio relevante, isso geraria uma enorme controvérsia no meio literário.

Ter a consciência desse limite, por outro lado, nunca me impediu de escrever. Sei que posso ir mais longe do que pessoas mais habilidosas do que eu por uma simples razão: em geral, elas são muito inseguras ou se deixam distrair pelas sutilezas da vida e acabam sem tempo para criar um livro.

Se, ao olhar para determinado título na lista dos mais vendidos, você pensou algo como "Eu poderia ter escrito um livro melhor que esse", então fica a pergunta: por que não escreveu? O mesmo se aplica a qualquer outra área. Se você sempre desejou realizar algo, pare de ficar resmungando e vá à luta. Não é tão difícil assim.

Não se trata de ser excepcionalmente talentoso nem tampouco um workaholic obsessivo, mas de usar de forma eficiente suas melhores habilidades. Talvez você descubra que possui um dom artístico, ou uma aptidão especial para lidar com pessoas ou números, ou mesmo para liderar e motivar pessoas. Não importa quais forem suas potencialidades, é possível fazer um bom uso delas, seja para ganhar dinheiro ou apenas para realizar o que deseja.

Na vida moderna, assim como nas tragédias gregas, não deveríamos nos surpreender com o fato de que nem as pessoas bem-sucedidas são felizes.

Caso você ainda não tenha notado, o sucesso é muito mais fácil de atingir do que a felicidade.

Há milhares de neuróticos bem-sucedidos.

Nenhum deles é feliz.

"Nada recua tanto como o sucesso."
BRYAN FORBES

Quem tem motivação suficiente para explorar ao máximo seus talentos e habilidades obtém muitas coisas em sua vida, incluindo satisfação e felicidade, ao contrário das pessoas desmotivadas, eternamente inconformadas e dominadas por uma sensação de vazio e de rejeição, e que acham que o mundo tem a obrigação de cobri-las de dinheiro, sucesso e felicidade.

Se você não pretende reivindicar sua parte no que a vida tem de melhor, certamente alguém do time de preguiçosos bem-sucedidos acrescentará sua parte ao bolo. O presidente americano Abraham Lincoln disse algo muito interessante a esse respeito: "Os que esperam receberão sua parte, mas somente a que for deixada para trás pelos mais afoitos."

Para viver bem, basta trabalhar de forma inteligente

Sim, esta é a verdade nua e crua: se você não estiver aproveitando a vida nas áreas emocional e financeira, então é hora de observar qual está sendo sua contribuição. Para tirar maior proveito do que o mundo nos oferece, é preciso fazer algumas mudanças pessoais.

Agora, deixe-me contar uma verdade agradável: o sucesso tem pouco a ver com a carga horária no emprego. A ordem natural das coisas não determina que o trabalho duro seja um pré-requisito para se ganhar dinheiro e conquistar mais da vida. Pelo contrário, ao adotar um ritmo mais calmo que a maioria, você poderá ir muito mais longe.

Há uma supervalorização da importância do trabalho pesado para conquistar a riqueza e a felicidade. "A maioria das pessoas está tão ocupada ganhando a vida que não tem tempo de ganhar dinheiro", disse Joe Karbo em *The Lazy Man's Way to Riches* (O caminho dos preguiçosos para a riqueza). De fato, muitas pessoas estão tão preocupadas em cumprir as exigências de trabalhos insatisfatórios que não conseguem criar maneiras alternativas e mais tranqüilas de ganhar dinheiro.

A forma mais difícil de ganhar a vida é trabalhar duro para isso. O preguiçoso bem-sucedido sabe que projetos importantes e criativos levam a um ótimo resultado financeiro e a uma grande satisfação pessoal. Quando você descobre que para viver bem só precisa trabalhar de forma inteligente, seu desempenho chega ao máximo.

O poeta W. H. Auden expressou sabiamente sua visão a respeito disso: "Para que a pessoa seja feliz no trabalho, são necessárias três coisas: ter uma ocupação adequada, não trabalhar em excesso e se sentir recompensada pelo que faz." O segundo dos três fatores de Auden é um dos mais desprezados pelas pessoas,

Para alcançar o verdadeiro sucesso, devemos ter clareza do que queremos na vida.

O maior problema não é propriamente o impedimento de ter o que imaginamos.

O maior problema é que, quando conseguimos o que sonhamos, vemos que não se trata daquilo que ambicionamos.

Na verdade, o que nos impede de conseguir o que realmente desejamos é o fato de não sabermos exatamente o que almejamos.

"Procure conquistar o que lhe dá prazer ou será forçado a gostar do que não gosta."
GEORGE BERNARD SHAW

"Para algumas pessoas, o sucesso depende de tornar-se famoso; para outras, depende de nunca ser descoberto."
ASHLEIGH BRILLIANT

que, em geral, dedicam tempo demais ao trabalho e quase nenhum à vida pessoal.

É raro encontrar quem trabalhe meio expediente ou tire períodos sabáticos para descansar e desfrutar a vida, mas, com a tecnologia que hoje temos à nossa disposição, nenhum de nós precisaria encarar longas jornadas de trabalho. Bastaria apostar na liberdade para buscar a verdadeira essência através da criatividade e da expressão pessoal.

Paradoxalmente, a dificuldade facilita o questionamento pessoal e a busca do verdadeiro eu. Uma explicação possível é o fato de que pessoas desempregadas têm tempo livre para fazer o que quiserem. Eu mesmo aproveitei um período de desemprego para buscar uma vida mais equilibrada e plena. Em parte por decisão própria, em parte por causa da recessão econômica, acabei ficando dois anos sem trabalho fixo. Foi a melhor coisa que me aconteceu, pois me colocou no caminho certo para o estilo de vida tranqüilo que tenho hoje.

Descobri com a prática que não é preciso trabalhar duro para ter um padrão de vida confortável. O escritor W. Somerset Maugham, por exemplo, começava a escrever toda manhã às 9h30 e parava às 13h. Depois do almoço ele nunca fazia nada que dissesse respeito a trabalho, mas nem por isso deixou de desfrutar uma ótima vida em sua vila particular em Cap Ferrat, na França, equipada com piscina e uma tropa de 14 empregados, incluindo um mordomo, um motorista e sete jardineiros. Nada mal para um preguiçoso!

Você pode estar se perguntando: "Então dá para trabalhar apenas três horas e meia por dia e ser bem-sucedido?" A resposta é sim. Basta trabalhar de forma inteligente, manter suas despesas extras baixas, minimizar a burocracia e usar o seu tempo e seus meios materiais de forma eficiente. Fazendo isso, dá para conseguir 80% da renda obtida por profissionais do mesmo ramo que trabalham duas a três vezes mais. Quem aposta na criatividade e na liberdade acaba juntando mais dinheiro mesmo quando ganha menos, pois controla seus gastos de forma mais eficaz que seus colegas workaholics.

Você provavelmente conhece alguém menos talentoso ou com formação inferior a você que vive de forma confortável. O fato de muitas pessoas estarem embarcando na onda workaholic não significa que você precisa fazer o mesmo. Eu, por exemplo, prefiro me divertir a me matar de trabalhar.

É tão difícil atingir o sucesso sem ter objetivos claros quanto obter prazer lembrando-se de coisas que você não fez.

Você deve, portanto, ter muita clareza quanto ao tipo de sucesso que gostaria de atingir e como pretende chegar lá.

"Um pensamento que não resulta em ação não vale muito, assim como uma ação que não se iniciou com um pensamento não tem valor algum."
GEORGES BERNANOS

"Se A é um sucesso na vida, então A é igual a x + y + z. Trabalho é x, y é lazer e z é manter a boca fechada."
ALBERT EINSTEIN

Qualquer um pode optar por trabalhar de forma inteligente em vez de apenas trabalhar duro, embora muita gente não esteja preparada para realizar o esforço criativo e os sacrifícios necessários para chegar lá. Alguns toleram ordens absurdas de seus chefes e fazem serão para terminar tarefas chatas, mal pagas e sem futuro pela simples razão de que há muito mais segurança no que é familiar do que em arriscar algo novo. É fato que a maioria não está disposta a pagar o preço necessário para descobrir como viver assim.

A boa notícia é que você tem todas as ferramentas para tornar sua vida próspera. Para atingir esse objetivo, precisa apenas libertar-se das limitações que impôs a si mesmo como indivíduo e embarcar na aventura de trabalhar de quatro a cinco horas por dia. Com certeza o mundo seria um lugar melhor para se viver, o estresse e as frustrações seriam menores, as pessoas mais saudáveis e felizes e o meio ambiente mais equilibrado.

Tendo vivido dessa forma por mais de 20 anos, devo preveni-lo dos riscos ocupacionais decorrentes desse hábito: conviver com a liberdade, a responsabilidade e a alegria em sua vida. Prepare-se também para enfrentar o sentimento de inveja, pois trabalhar apenas quatro horas por dia pode ser visto como uma ameaça ao capitalismo e à estabilidade mundial.

Se conseguir lidar com esses riscos, apareça em um dos meus cafés prediletos para conversarmos sobre o assunto enquanto os workaholics barras-pesadas trabalham duro na esperança de conquistar a liberdade, a alegria e a satisfação nos próximos 40 anos.

Determine com clareza a direção antes de escolher a velocidade a que deseja viajar.

No Ocidente, a maioria das pessoas tem pressa em chegar a lugares que não valem a pena conhecer.

Na vida, a velocidade não é tão importante quanto a direção.

De fato, quando se está sem rumo, a velocidade não importa.

"Jamais confunda movimento com ação."
ERNEST HEMINGWAY

"Pergunte a si mesmo o segredo de seu sucesso. Ouça sua resposta e coloque-a em prática."
RICHARD BACH

CAPÍTULO 2

TRABALHE COM O QUE VOCÊ É, NÃO COM O QUE GOSTARIA DE SER

Nunca confunda trabalho duro com sucesso iminente.

Trabalho em excesso é um desperdício, pois não traz nenhuma contribuição positiva.

Tentar ser bem-sucedido com base apenas no trabalho é como tentar chegar ao pólo Norte rumando para o Sul.

Você pode até chegar lá, mas precisará de muito mais energia, tempo e dedicação.

"Uma sociedade baseada apenas na produção é meramente produtiva, não criativa."
ALBERT CAMUS

"Veja o meu exemplo: eu me esforcei para subir na vida – saí do nada para a extrema pobreza."
GROUCHO MARX

Nem riqueza nem opulência: tranqüilidade e atividade são o que gera a felicidade

O sucesso depende de muitas coisas – em grande parte, da maneira como você consegue ganhar a vida e de quanto você gosta do que faz. Curiosamente, muitas pessoas ignoram a importância de escolher uma ocupação agradável e satisfatória. Há, inclusive, quem defenda a tese oposta. Para o consultor financeiro Stephen

M. Pollan, autor de *Die Broke* (Morra pobre), por exemplo, o que vale é "ver o seu trabalho como um meio de ganhar dinheiro".

Pollan alega que deveríamos trocar constantemente de ocupação, procurando sempre a mais lucrativa possível e desconsiderando a idéia de encontrar qualquer contentamento nela. Se você seguir essa estratégia, as conseqüências serão péssimas. A mais óbvia delas é a ausência de satisfação e alegria no cotidiano.

Não é novidade que as pessoas mais felizes e realizadas possuem uma grande paixão pelo que escolheram fazer e, de forma geral, são muito bem-sucedidas a longo prazo. Como passamos grande parte da vida trabalhando, é importante que a carreira traga satisfação e realização – não apenas dinheiro.

As pessoas se sentem prósperas quando experimentam a felicidade, não quando abrem mão do que gostam e se sacrificam por um amanhã auspicioso que talvez nunca aconteça. Mesmo que seu objetivo seja o de trabalhar apenas quatro ou cinco horas por dia, suas prioridades devem incluir satisfação, um ambiente saudável e algum sentimento de segurança.

Há gente demais cumprindo longas jornadas de trabalho em um emprego que odeia, em nome do salário no final do mês. É muito pouco o que motiva essas pessoas a acordarem pela manhã. Não importa se é um contador que ganha R$ 3 mil ou se é um gerente de marketing faturando R$ 12 mil por mês – se ambos detestam o que fazem e não enxergam perspectivas futuras, os dois casos representam enormes fracassos profissionais.

Não por acaso o moderno RH criou uma série de títulos pomposos para cargos tradicionais. A idéia seria "justificar" os altos salários pagos e também fazer com que o profissional se sinta mais prestigiado, embora isso não garanta satisfação e realização criativa a ninguém. Trabalho burocrático é e sempre será desanimador – não importa quão imponente seja o título dado à função. Como bem disse o político americano George

Seja extremamente seletivo ao escolher um trabalho.

Ser um guru, por exemplo, é incrivelmente difícil e frustrante.

Trata-se basicamente de lidar com um bando de cabeças-ocas e idiotas.

Quem quer isso?

Para ter mais prazer, tente uma carreira que gere menos discussões e mais recompensas.

"Muitos santos vivem o suficiente para lamentar a carreira que escolheram."
BOB STOKES

"Você não se demite desses trabalhos, você foge deles."
DAWN STEEL

McGovern, "quanto maior o seu título, menos importante é o seu trabalho".

Essa estratégia não se restringe às posições inferiores: diversos postos de nível gerencial, com direito aos mais modernos laptops, não passam de burocracia de alto nível. Apesar disso, muita gente escolhe seu trabalho com base no poder, no status, no prestígio e no valor do salário que as profissões conferem, em vez de considerar a alegria e satisfação que poderiam trazer.

O resultado são as legiões de pessoas inteligentes, bem-educadas e altamente treinadas, porém malsucedidas em suas carreiras. É impossível sentir-se próspero quando se está infeliz. Até mesmo nas mais prestigiosas profissões a insatisfação é enorme. A área jurídica é um bom exemplo – apesar do status e dos altos salários, poucos advogados se declaram satisfeitos com o que fazem.

Um amigo que já abandonou a carreira jurídica declarou que não conseguia pensar em uma única pessoa de sua turma de Direito que realmente gostasse de ser um advogado. O escritor John Grisham, que é advogado, fez um comentário similar. Segundo ele, todos os advogados que ele conhece gostariam de encontrar um trabalho melhor.

A ironia é que esse tipo de insatisfação pode atrapalhar tanto a consciência da prosperidade quanto a criação de riqueza. Na tentativa de prosperar e guardar dinheiro para o futuro, as pessoas não percebem que acabam gastando mais e guardando menos. Muitas se tornam consumidores compulsivos para poder lidar com o estresse e a insatisfação.

Quando não existe prazer e satisfação no trabalho, resta a busca contínua por dinheiro e posses materiais – como válvula de escape e como tentativa de dar algum sentido à vida. Comprar um carro importado caríssimo pode ser encarado como uma "recompensa" por ter que lidar com um chefe alucinado e com um trabalho chato.

Ir às compras pode ser uma coisa prazerosa, ainda que temporária, mas a verdade é que não passa de um comportamento autodestrutivo. Com o tempo, o dinheiro se torna uma fonte cada vez mais forte de insatisfação. Ele governa nossas vidas como uma obsessão pouco saudável e antinatural. A necessidade de ter dinheiro para continuar consumindo desbragadamente mantém todo mundo refém de seus trabalhos aborrecidos.

Afinal, pedir demissão de um emprego com um alto salário para fazer algo mais interessante significa perder poder aquisitivo e pode virar um problemão, especialmente quando se está amarrado a

Não confie no que inspira as outras pessoas a escolherem uma carreira.

Confie no que o inspira.

Dessa decisão dependerá mais de um terço da satisfação ou do sofrimento de sua vida.

"O melhor presságio do sucesso de um homem em sua profissão é quando ele pensa ser o melhor do mundo naquilo que faz."
George Eliot

"O sucesso não é a chave da felicidade. A felicidade é que é a chave do sucesso. Se você ama o que faz, será bem-sucedido."
Albert Schweitzer

prestações altíssimas pelos próximos quatro anos – alguém se lembra daquele carrão esporte comprado a título de compensação?

Tentar equilibrar a insatisfação com o trabalho gastando dinheiro em caríssimas sessões de terapia também não promove o crescimento do patrimônio de ninguém. As pessoas só conseguem quebrar o círculo vicioso de trabalhar-e-gastar quando encontram algo divertido para fazer. Somente aí elas conseguem deixar o dinheiro em segundo plano e se dedicar à sua própria felicidade.

Em razão da ênfase que nossa sociedade dá à riqueza, qualquer um pode facilmente ficar aprisionado nessa armadilha. O sucesso não depende apenas de possuir uma inteligência superior, educação formal de alto nível, habilidades especiais e capacidade de trabalho. Também não basta conhecer as pessoas certas nem escolher uma área de prestígio, como direito, medicina ou arquitetura.

Só é possível ser bem-sucedido em uma carreira quando trabalhamos com prazer e dispostos a ajudar os outros. Não há outra forma de experimentar a verdadeira satisfação e felicidade. Thomas Jefferson disse: "Não são a riqueza nem a opulência, mas a tranqüilidade e a atividade que geram a felicidade."

Que fique bem claro: ninguém jamais encontra a felicidade trabalhando apenas pelo dinheiro. Quanto mais você nega a importância de apostar em uma carreira que lhe traga contentamento, mais se acostuma com a infelicidade – e esquece como é ser feliz. Essa situação deve ser evitada; do contrário, você não terá a oportunidade de encontrar em sua vida um propósito verdadeiro.

Somente você pode decidir se sua carreira é um patrimônio ou um risco. O ideal do preguiçoso bem-sucedido é encontrar uma profissão com altos salários e que ele adore, o que a colocaria na categoria patrimônio valioso. Por outro lado, ela passa a ser um risco se ele faz o que gosta, mas é mal remunerado. Isso é verdade, independentemente de quanto se ganhe.

Para saber se o seu trabalho lhe traz insatisfação e infelicidade, faça o seguinte questionamento: se pudesse conquistar a independência financeira hoje, você estaria disposto a trabalhar durante mais alguns anos? Caso seu impulso seja o de parar imediatamente, esteja certo de que está na função errada. Para completar, verifique se a hora do almoço e o fim do expediente são as duas coisas de que você mais gosta. Se forem, então comece a procurar uma ocupação melhor.

Seu lado racional certamente lhe dirá para continuar onde está em vez de tentar algo novo e desafiador. Afinal, ser bem-sucedido lhe permite pagar a prestação da casa própria, ter dois carros, dar presentes caros à sua família, comprar uma TV maior e mandar as crianças para a colônia de férias. Você deve decidir,

O melhor conselho que alguém pode lhe dar sobre a escolha de uma carreira é nunca aceitar conselho de ninguém.

Na verdade, uma das maiores razões para escolher uma carreira deveria ser o fato de ninguém ter lhe dito para fazer isso.

"As pessoas não escolhem suas carreiras, elas são absorvidas por elas."
JOHN DOS PASSOS

"Só fazemos bem as coisas de que gostamos."
COLETTE

contudo, se realmente precisa de todas essas coisas, já que é por conta delas que está sacrificando sua expressão criativa e a oportunidade de mudar algo neste mundo.

Depois de lerem meu livro *The Joy of Not Working* (O prazer de não trabalhar), muitas pessoas disseram que se sentiram encorajadas a deixar a segurança de seus trabalhos e partir em busca do que realmente queriam. Para elas, o livro teria funcionado como um estímulo para que assumissem novos desafios. Algumas me procuraram tempos depois para contar que estavam mais felizes e indo bem do ponto de vista financeiro. A oportunidade de serem espontâneas e criativas fez com que tudo valesse a pena.

Uma vez livre da percepção do dinheiro como um fim em si, um novo mundo se abrirá para você. Afinal, nada é mais inibidor do que o medo de não conseguir manter o mesmo padrão de vida. Quanto menos interessado estiver em ganhar dinheiro e comprar bens materiais, mais chance terá de escolher uma carreira satisfatória. O paradoxo é que, quando você usa seus talentos para se dedicar a algo de que gosta, aumenta sua chance de ganhar muito dinheiro. As estatísticas indicam que as pessoas que têm prazer no que fazem acabam sendo muito mais bem-sucedidas do que quem encara o trabalha de forma prática.

Mark Albion, em seu livro *Making a Life, Making a Living* (Viver e ganhar a vida), cita um estudo comparativo das carreiras de 1.500 pessoas formadas em administração de empresas. Na formatura de 1960, 1.245 delas disseram que sua prioridade era conquistar a independência financeira para que mais tarde pudessem fazer o que desejassem na vida. As outras 255 decidiram seguir sua vocação esperando que o dinheiro viesse depois, como conseqüência. Considerando que apenas um dos 101 que se tornaram milionários pertencia ao primeiro grupo, comprova-se a tese de que, se você se dedicar a uma carreira com paixão e interesse, o dinheiro surgirá naturalmente.

Não há dúvida de que a motivação e o empenho em dar o melhor de si aumentam quando o objetivo maior não é o dinheiro nem o status. As pessoas raramente têm sucesso em qualquer coisa a menos que consigam extrair prazer dela. Sem isso, demonstram baixa autoconfiança, chegando a acreditar que não possuem talento, criatividade ou coragem para ganhar dinheiro com algo de que gostem.

De fato uma vida plena, tranqüila, satisfatória e feliz só pode ser desfrutada e conquistada quando você tem prazer no que faz. Esta é a chave do sucesso – trabalhar por amor, por realização pessoal ou pelo compromisso de tornar o mundo melhor. Um projeto desafiador e gratificante acaba sendo naturalmente recompensador tanto no lado pessoal quanto no financeiro porque o dinheiro surge muito mais rápido quando você busca o que valoriza e realmente ama.

Mais cedo ou mais tarde, todos nós escolhemos uma carreira.

A maioria das pessoas, contudo, acaba trabalhando em algo sem sentido e desimportante.

O pior é que elas entram em estado de negação a respeito disso.

Algumas partem em busca de objetivos maiores.

Se quiser se juntar ao clube, certifique-se de que a segurança não é o fundamental para você aceitar o trabalho.

"Muitas pessoas executam trabalhos totalmente sem sentido. Quando se aposentam, elas finalmente se dão conta disso."
Brendan Francis

"Amar o que você faz e sentir que o trabalho faz diferença – o que poderia ser mais interessante?"
Katharine Graham

A maior derrota é perceber a distância entre o que você poderia se tornar e o que se tornou de fato

Entre correr atrás do sonho e continuar trabalhando arduamente, a maioria escolhe a segunda opção. Toleram insultos de seus chefes, condições de trabalho inadequadas, tarefas enfadonhas e sem futuro apenas porque buscar um trabalho mais prazeroso requer mudanças e envolve riscos. Muitos acham melhor ficar com o que lhes é familiar, mesmo que não ofereça nada além de aborrecimento e cansaço.

É triste, mas muitas pessoas, no fim da vida, olham para trás com profundo arrependimento. Não seguir a carreira de seus sonhos costuma ser uma das maiores queixas. Para não cair no mesmo erro, siga o conselho de Ashley Montagu: "A mais profunda derrota sofrida por um ser humano é a constatação da distância entre o que ele poderia se tornar e o que se tornou de fato." Ou seja, não é tanto o que você se torna, e sim sua negação o que será mais doloroso no final.

Você provavelmente tem sonhos, assim como habilidades e talentos que gostaria de usar de alguma forma em seu trabalho. Pode ser que tenha reprimido tudo isso por causa da idéia fixa de ganhar o máximo de dinheiro em menos tempo possível. Como você já percebeu que só poderá levar uma existência mais plena, mais satisfatória e mais feliz se fizer mudanças importantes em sua vida, não perca tempo. Nada de ficar esperando pelo momento ideal e pelas condições perfeitas – isso não existe.

Desperdiçar sua vida na eterna expectativa de viver um sonho não lhe trará nada de bom. Pode ser que esse futuro nunca chegue e, se não chegar, você jamais se sentirá satisfeito com as coisas que pretendia realizar. Não importa que você tenha seguido todas as regras do trabalho e subido todos os degraus, de assistente de enfermagem até o posto de gerente geral de um

Trabalhar estritamente pelo dinheiro não é o caminho para uma carreira de sucesso.

Pare e avalie o dinheiro sob uma nova ótica e você perceberá que em muitos aspectos ele é completamente ridículo.

Você também notará que, depois de prover as necessidades básicas, a felicidade não depende muito do dinheiro.

Então por que você se preocupa com ele?

"Trabalhamos para nos tornarmos alguém, não para adquirir coisas."
ELBERT HUBBARD

"O milagre não é fazer esse trabalho, mas sentir-se feliz por fazê-lo."
MADRE TERESA

grande hospital; se o que você quer mesmo é levar uma vida boêmia, vagando pelas livrarias e cafés com seus amigos escritores, está na hora de começar a realizar seus sonhos.

Há várias formas de fazer isso, começando pela decisão de tornar seu trabalho a principal expressão de sua mente e de seus talentos criativos. Examine todas as possibilidades e decida qual é o rumo mais adequado para chegar lá. Como Walt Whitman disse: "Nem eu nem qualquer outro pode trilhar esse caminho em seu lugar. Você mesmo precisará percorrê-lo."

Preocupe-se em escolher uma carreira compatível com sua personalidade e com o estilo de vida que deseja levar. Talvez você veja o sonho de trabalhar em projetos que fazem a diferença como algo além de suas possibilidades. Essa é uma atitude negativa, que só serve para impor limites a sua capacidade criativa. Reflita sobre as palavras de Henry David Thoreau: "Eis o que finalmente aprendi por experiência própria: se alguém avançar confiante na direção de seus sonhos, irá se deparar com um sucesso jamais imaginado."

Olhe em volta e observe as pessoas investindo em suas vocações, transformando seus passatempos em negócios multimilionários. Elas certamente são autoconfiantes e focadas em seus objetivos. Há uma lenda judaica que mostra a importância de se manter o rumo, uma vez que a direção foi determinada.

Tudo começa com um homem que procurava um lugar chamado Paraíso. Todas as noites, antes de se deitar, ele colocava as botas alinhadas na direção de seu objetivo. A cada manhã ele as calçava e prosseguia, alegremente, rumo ao Paraíso. Um ano depois, um duende mudou a posição das botas. No dia seguinte, o homem repetiu sua rotina e continuou procurando o Paraíso, mas na verdade estava indo para o lado contrário. Após um ano, havia retornado ao ponto de onde partira.

Conclusão: basta se distrair em algum momento do percurso para perder o rumo. Mesmo quando estamos altamente motivados e fazemos um enorme esforço para alcançar um objetivo ou sonho, é prudente reavaliar nossa posição de vez em quando para termos certeza de que continuamos caminhando na direção correta.

A obsessão pelo dinheiro é o principal fator responsável pela perda de foco. Em segundo lugar vem o impulso consumista, que fornece a recompensa instantânea, mas nos coloca em conflito com o objetivo de trabalhar em algo prazeroso e que faça a diferença neste mundo. É como se temêssemos perder status – daí a compulsão de comprar tudo o que é maior e melhor, mesmo

O problema para quem tem estabilidade no emprego é que, após ler o jornal pela manhã, não há mais nada de criativo, construtivo ou estimulante para fazer.

Você nunca encontrará satisfação pessoal no trabalho a menos que direcione sua energia física e mental para algo que faça a diferença.

Isso significa que você deve ter um objetivo mais grandioso do que trabalhar em função do maior salário possível.

"Apenas as paixões, as grandes paixões, podem elevar a alma."
DENIS DIDEROT

"Ele o fez de todo o coração e foi bem-sucedido."
BÍBLIA, CRÔNICAS II, 31:21

que não tenhamos condições para isso. Esse comportamento nos leva a perpetuar as amarras financeiras que nos impedem de buscar nossos sonhos.

Mesmo quando você tem absoluta certeza do que quer, é importante fazer uma análise crítica a fim de avaliar seu progresso. Como seres humanos, estamos em constante mudança e nossas prioridades muitas vezes se alteram sem estarmos conscientes disso. Talvez seu objetivo um dia tenha sido o de ganhar tanto dinheiro quanto fosse possível, mas você hoje percebe que precisa fazer algo com um significado maior. A avaliação permanente é o instrumento que nos permite ter certeza de que nossas necessidades estão sendo atendidas e de que estamos felizes com nosso trabalho.

Não adie a busca de seus sonhos; o tempo é o seu maior inimigo, pois faz com que sua vocação perca a força. Não é nada agradável olhar para trás e se lamentar por não ter sido um cantor, um projetista de software, um educador, um artesão, um viajante ou alguém que inspirou outras pessoas a se superarem. Pode ser doloroso descobrir que você apenas sonhou com uma vida cheia de espontaneidade e criatividade. Dizem que a dor dos sonhos não realizados é a pior.

Para ser bem-sucedido é preciso maximizar o controle; o contrário traz incerteza e estresse

A consciência da prosperidade e a experiência de estar no auge de seu desempenho surgirão quando você se sentir no comando de sua vida. Ao valorizar sua criatividade, liberdade e independência, você amplia o controle de seu destino e da vida em geral.

Não é possível sentir-se livre quando o sentimento de frustração é constante. Há diversos estudos indicando que as pessoas que têm pouco controle sobre seus trabalhos são as que sofrem mais com estresse e problemas de saúde. Sua carreira estará em risco caso você fique à mercê de seu ambiente de trabalho.

O estudo Whitehall, realizado com servidores civis ingleses, mostra que as taxas de mortalidade antes da aposentadoria são mais altas entre os trabalhadores braçais e funcionários administrativos do que entre profissionais liberais e executivos. Os pesquisadores observaram que quem tinha menos controle sobre suas tarefas apresentava taxas de mortalidade mais altas, enquanto aqueles que ocupavam cargos gerenciais e de alto nível mostravam taxas mais baixas.

Trabalhar de forma eficiente é fundamental, mas você precisa estar fazendo o que é melhor para você.

É impossível atingir a excelência em qualquer área a menos que você goste enormemente do que está fazendo.

Faça tudo o que for necessário para trabalhar no que for melhor para você, porque um dia de trabalho frustrante parecerá uma eternidade se comparado a um mês de trabalho prazeroso.

"Quero mais é que se dane o trabalho que precisamos fazer para pagar as contas! Esse tipo de trabalho não nos traz nenhuma honra: serve apenas para encher a pança dos porcos que nos exploram. Mas, quando fazemos o que gostamos, aí temos uma vocação – isso enobrece! Todos nós deveríamos trabalhar assim. Olhe para mim, Saturno – eu não trabalho. E não me importo; mesmo que me enforquem, não trabalharei! Ainda estou vivo! Posso não viver da melhor forma possível, mas ao menos não preciso trabalhar!"

Luis Buñuel

As conclusões são claras: para ser bem-sucedido é preciso maximizar o controle; o contrário traz incerteza e estresse. Quando se trabalha para alguém, especialmente para uma grande empresa, é normal ter um leve sentimento de desamparo e alienação. Como a maioria das corporações valoriza muito mais os lucros, em detrimento da liberdade e do bem-estar de seus colaboradores, a única maneira de controlar seu próprio destino é conseguir outro emprego.

A verdade incontestável é que a maior parte dos empregos interessantes requer extrema dedicação. Há pessoas que não se importam em se tornar um personagem dos quadrinhos de Dilbert, ou seja, escrever relatórios que não serão lidos, executar tarefas sem criatividade e ter a vida controlada pelo relógio. Para elas, o importante é ter um trabalho "seguro" que se perpetue até que atinjam o paraíso da aposentadoria.

Mas há quem considere esse tipo de trabalho uma espécie de prisão. Para esses, a melhor maneira de controlar o próprio destino é ser um profissional autônomo. Pesquisas confirmam que quem embarcou nesse estilo de vida se sente mais realizado que seus colegas de carteira assinada, já que controla seu tempo e seus prazos de trabalho, além de escolher quando, onde e em quais atividades vai se envolver.

Quem trabalha por contra própria ou sob contratos por tempo limitado se sente mais livre e mais satisfeito, ainda que o salário seja relativamente baixo em relação a alguém do mesmo nível, só que do time dos contratados. Entre as maiores vantagens de ser um autônomo estão a flexibilidade e a possibilidade de poder fazer as coisas que escolheu, do seu jeito, no seu tempo.

É necessário preveni-lo, contudo, de uma coisa: ser dono do próprio negócio não é para qualquer um. É preciso ter fé, esperança e energia empreendedora para desenvolver um produto ou serviço e introduzi-lo no mercado. Algumas pessoas precisam das empresas mais do que as empresas precisam delas. Se

Tudo mantém sua melhor personalidade quando usado da melhor forma.

Isso se aplica tanto às pessoas quanto às coisas.

Portanto, escolha um trabalho que esteja em harmonia com sua personalidade e seus valores.

Se aceitar algo menor, você estará sendo desonesto consigo mesmo, pois isso significa se privar de oito horas de felicidade e satisfação a cada dia de trabalho.

"Todas as coisas serão produzidas com menos esforço, em maior número e com mais qualidade quando cada pessoa tiver, no momento certo, uma ocupação de acordo com seu talento natural, sem se envolver com nada mais."

PLATÃO

"A mulher que tiver a oportunidade de criar seu próprio trabalho conquistará fama e fortuna."

AMELIA EARHEART

você não estiver preparado para enfrentar riscos e tomar decisões por conta própria, é melhor trabalhar como assalariado. Nesse caso, porém, faça de tudo para encontrar uma posição que lhe dê um mínimo de liberdade de ação.

Apesar de tudo, não quero desencorajar ninguém a se aventurar como autônomo. Ter uma grande idéia e realmente acreditar nela é a chave para fazer seu negócio crescer. Só não espere que seus amigos e familiares apóiem sua decisão. É provável que eles fiquem apreensivos, sendo que alguns vão achar que você ficou maluco. Não dê atenção a críticas sem fundamento nem tenha medo de abandonar um emprego seguro para arriscar-se em um empreendimento que promete ser mais empolgante, interessante e satisfatório.

Pode ser que você precise dar duro durante um ou dois anos, mas ao menos estará trabalhando para si mesmo. O consolo é que, com certeza, vai se sentir mais saudável, mais livre e próspero do que nunca. Como escritor e palestrante profissional, posso atestar as vantagens de não ter patrão. Dediquei muito tempo e energia a descobrir o que eu queria ser, mas agora faço o que mais gosto do meu próprio jeito. Não há vida melhor que essa! Por que trabalhar para desconhecidos se posso escolher o chefe de quem mais gosto – *eu?*

Ser autônomo me permite a liberdade de dormir tarde, encontrar-me com pessoas interessantes em um café, sair para passear em minha bicicleta e conversar com um amigo por algumas horas – tudo isso antes mesmo de começar a trabalhar e sem precisar dar explicações a um chefe exigente.

Contanto que esteja preparado para arcar com as conseqüências, você encontrará muitas oportunidades de trabalhar de forma inteligente. Você pode se tornar um importador/exportador, um vendedor de imóveis, um consultor, um projetista de software, um professor, um escritor, um artista, enfim, um freelance em diversas áreas.

Aplicando os princípios do preguiçoso bem-sucedido, você pode até decidir trabalhar apenas quatro ou cinco horas por dia. Obviamente, isso não garante que você irá faturar alto e de forma rápida. Contudo, há boas oportunidades para ganhar um

Escrever pode ser bastante difícil algumas vezes.

Contudo, se no fundo de seu coração você deseja ser um escritor, não escrever acabará sendo muito mais difícil do que seguir sua vocação.

Assim, se você sonha em escrever livros, vá em frente.

Se você sonha em ter um restaurante, monte o seu.

Se você sonha em ser uma enfermeira, torne-se uma.

Do contrário, você descobrirá que a frustração é a maior dor que você pode experimentar na vida.

"Talvez aqueles que realizam mais coisas sejam também os que sonham mais."
STEPHEN LEACOCK

bom dinheiro dessa forma. Nos Estados Unidos, os autônomos constituem menos de 20% da força de trabalho, mas representam 66% dos milionários.

Trabalhar por conta própria é uma das poucas formas de gerar riqueza usando apenas seus próprios recursos e criatividade. O segredo é acreditar que você merece ser bem pago por seus serviços, idéias ou produtos, uma vez que eles contribuem para melhorar a vida de outras pessoas e o mundo como um todo.

Sua capacidade de gerar riquezas deve ser vista como um bônus e jamais como seu objetivo primário. A maior recompensa de ter o próprio negócio não é financeira, e sim a satisfação de usar sua inteligência, criatividade, motivação, e ainda ousar correr riscos para desenvolver um produto ou serviço inédito. Não há nada mais gratificante do que ver a satisfação das pessoas ao usarem algo que você inventou para melhorar a vida delas.

Pagar o preço que nos cabe não é fácil, porém é não pagá-lo

Pode ser que você já tenha ouvido uma versão desta história. Dois desconhecidos estavam conversando em um bar e acabaram falando sobre o que faziam na vida.

Um dos homens disse:

– Eu sempre quis trabalhar em um circo. Finalmente, após dois anos tentando, consegui um emprego no Circo Bailey. De modo geral, estou feliz com ele, mas o serviço é duro e ganho pouco por hora. Trabalho cerca de 14 horas por dia, mas recebo apenas por oito horas. Tenho que lavar os caminhões, varrer o chão, tirar o lixo e limpar as jaulas dos elefantes. Um dos gerentes vive me dizendo que vai me promover, mas está sempre gritando e reclamando porque acha que eu deveria trabalhar ainda mais.

O outro respondeu:

– Eu não ia tolerar esse absurdo. Por que você não vem trabalhar comigo? Meu trabalho é sindicalizado, portanto, bem tranqüilo. Todos me tratam bem e o salário é bom. Além disso, quando faço hora extra, recebo em dobro. Tudo isso para cavar túmulos.

Sem hesitar, o outro homem retrucou:

– Está maluco? Deixar de ser artista para cavar túmulos? Jamais!

Depois de tudo esclarecido, eis o ditado:

Se você sonha em fazer sucesso no show business, é hora de largar a fábrica.

"Quando seus talentos e as necessidades do mundo se encontram, aí está sua vocação."
ARISTÓTELES

"Você precisa saber exatamente o que deseja de sua carreira. Se quiser ser uma estrela, não se preocupe com nada mais."
MARILYN HORNE

A moral da história é que você precisa pagar um preço se quiser começar uma nova carreira. É claro que há situações em que a relação custo-benefício não vale o esforço e a angústia. Por outro lado, a realidade irá desapontá-lo se você acreditar que tudo na vida será fácil. Aproveite o presente ao máximo, mas saiba que haverá momentos difíceis.

Antes de chegar ao ponto de viver seu sonho em toda a sua plenitude, você provavelmente vai precisar trabalhar duro, ganhar pouco e aturar tarefas desagradáveis e condições ruins. Talvez tenha que se virar com um velho Fusca por alguns anos antes de comprar aquele Porsche conversível.

Mesmo correndo o risco de entediar os meus leitores, além de me colocar numa situação constrangedora, vou falar um pouco mais da minha própria experiência – especificamente de como me tornei escritor e editor de meus próprios livros. Há quem diga que eu tive sorte ou tive alguma vantagem em relação a outros. Não é verdade. Não tive privilégio algum sobre qualquer um que saiba pensar de forma clara, escrever de forma aceitável e que esteja disposto a se dedicar a um projeto.

Tudo começou no outono de 1989, quando publiquei meu primeiro livro sobre como ser mais criativo. Presumi que entraria no maravilhoso mundo dos conferencistas profissionais e que em pouco tempo ganharia US$ 20 mil ou mais por evento. Decidi me mudar para Vancouver, B.C. (B.C. significa "Bring cash", ou seja, "Traga dinheiro"), pois estava seguro de que as empresas fariam fila para minhas incríveis palestras e seminários sobre criatividade.

Minha mudança proporcionou-me alguns dos melhores e dos piores períodos de minha vida. A parte boa é que finalmente eu poderia passar um inverno longe da tundra congelada e desértica de minha cidade natal, Edmonton, na província de Alberta. Por outro lado, minha situação financeira era tão precária que eu não podia sequer me dar ao luxo de ter um colapso nervoso. Meu apartamento estava mobiliado com coisas que nem o Exército da Salvação teria aceitado. Meu carro era uma sucata de 10 anos de idade cujo valor dobrava sempre que o tanque de gasolina estava cheio. Um guarda-chuva barato era o meu único símbolo de status.

Sem nenhum seminário à vista e com um salário medíocre de US$ 500 por mês, resultado de um curso que eu estava dando na Universidade Simon Fraser, mais US$ 1 mil na poupança e uma dívida de US$ 25 mil, a compra do Rolls-Royce e a contratação do mordomo estavam definitivamente fora do meu alcance – bom, pelo menos nos próximos anos.

A situação era ruim, mas eu tentava manter as coisas numa perspectiva positiva. Havia um lado heróico em todas aquelas dificuldades. Um dia, alguém iria escrever um livro sobre quanto eu sofrera e como aquilo me tornara uma pessoa mais forte.

Uma das maneiras de evitar o sucesso é se especializar em coisas que lhe desagradam e nas quais você tem o pior desempenho.

Você tem muito mais chances de se tornar um vencedor quando se torna seletivo e escolhe em quais corridas deve competir.

Certifique-se de direcionar seus esforços para onde eles são mais necessários.

Dedique-se às tarefas nas quais você é bom e de que realmente gosta.

"A vida sem uma atividade inspiradora é um inferno."
ELBERT HUBBARD

"Nada grandioso jamais foi obtido sem entusiasmo."
RALPH WALDO EMERSON

Eu me tornaria um daqueles personagens exemplares das reportagens publicadas em revistas como *Fortune*, *Entrepreneur* e *Business Week*.

Como oito meses haviam se passado e ninguém tinha me chamado para um seminário sequer, eu já não estava conseguindo pagar as contas. Meu carro não sabia o que era gasolina havia tempos e arroz com feijão era uma refeição refinada para mim. Se minha bicicleta quebrasse, eu não teria dinheiro para consertá-la. O pior de tudo era ter que dividir um apartamento alugado com vários colegas.

Decidi então voltar para Edmonton e procurar um trabalho normal, mesmo que temporário. De repente aconteceu uma coisa que você pode chamar de sorte, sincronicidade ou intervenção divina. Acabei conseguindo marcar dois seminários. Eu tinha fracassado, estava duro, quebrado, falido, mas não tinha perdido as esperanças. Continuava fazendo o que eu mais queria: escrever livros e apresentar seminários.

A partir daí, as coisas melhoraram. Em meados de 1991 eu já tinha dinheiro suficiente para publicar *The Joy of Not Working* (O prazer de não trabalhar). Desde então, consegui juntar cerca de US$ 200 mil. O mais importante é que gosto do que faço e só preciso trabalhar de quatro a cinco horas por dia para me sentir livre e próspero.

Se você decidir seguir sua vocação, descobrirá que construir uma vida realmente interessante de se viver é trabalhoso. Custa caro ter uma carreira significativa, satisfatória e bem paga – e o preço é a total dedicação ao objetivo que escolheu. Sem essa intensidade, você provavelmente desistirá ao primeiro sinal de problema.

A maneira mais fácil de atingir a satisfação e a felicidade é trabalhar com sua grande paixão. Para isso, você precisa aprender a lidar e até mesmo a gostar do trabalho difícil, das responsabilidades, das tarefas tediosas e de tudo o que está associado a elas. Saber que você superou tantas dificuldades para ser uma pessoa bem-sucedida torna o seu sucesso ainda mais gratificante.

Os mestres zen pregam que o sofrimento é o nosso passaporte para a libertação. Você pode ter dificuldades enquanto se estabelece em uma nova área, mas a experiência será repleta de bons momentos. Na verdade, algo mágico provavelmente acontecerá em sua vida uma vez que você supere seus medos de fazer algo diferente. Como disse Goethe: "Seja o que for que você pense poder fazer ou acredite poder fazer, comece logo. A ação traz consigo magia, graça e força."

Descubra o que você faz melhor e concentre-se nisso.

Coloque toda a sua energia no que lhe dá prazer, não no que lhe desagrada.

Conseguir resultados medíocres em projetos interessantes lhe trará muito mais felicidade do que obter soluções relevantes em projetos desinteressantes.

"Prefiro fracassar em algo de que gosto a ter sucesso em algo que odeio."
GEORGE BURNS

"Ninguém jamais escreveu, pintou, esculpiu, modelou, construiu ou inventou a não ser, literalmente, para sair do inferno."
ANTONIN ARTAUD

Quando perguntamos às pessoas mais bem-sucedidas o que fizeram para chegar lá, elas certamente citarão uma série de coincidências estranhas em vez de falar sobre o sofrimento que experimentaram no processo. Alguns chamam essas ocorrências de sincronicidade, embora os céticos as considerem pura sorte. Seja qual for sua opinião, você não vai conseguir escapar desse tipo de experiência quando decidir realizar seus sonhos.

Vender um pedaço de sua alma por US$ 10 mil hoje irá lhe custar muito mais no futuro

É impossível encontrar algo ilegal, imoral, antiético ou repugnante que alguém não faça por dinheiro hoje. As pessoas mentem para suas esposas, roubam, assaltam, machucam inocentes, raptam crianças indefesas, vendem seus próprios filhos, fazem sexo com estranhos ou matam parentes por dinheiro.

Há quem tenha pensado em vender a alma com a expectativa de receber um bom dinheiro por isso. Lamentavelmente, esse não refletiu bem sobre o assunto. Muita gente está procurando um jeito mais fácil de levar a vida e igualmente se mostra disposta a tudo. Com tanta oferta no mercado, essas almas não valem muito.

O canadense Sterling Jones testou o mercado de almas anunciando a sua na internet, pelo site de leilões eBay. A oferta inicial era de US$ 1 e o máximo que ele obteve foi o valor de US$ 20,50. Os administradores do eBay acabaram anulando a transação, alegando que Jones não tinha prova de possuir a mercadoria e muito menos de ser capaz de entregá-la.

Se as almas estão sem liquidez, você pode optar por fraudes, falsificações e furtos – todas essas alternativas boas e rápidas para obter sucesso financeiro. Há quem apele para crimes mais sérios, como seqüestro, violência física ou assassinato, tudo em nome de manter um estilo de vida extravagante. As estatísticas não mentem: 90% dos crimes são motivados por dinheiro.

É difícil aceitar que tantas pessoas bem-sucedidas deixem de lado suas crenças religiosas, seus valores, sua moral e sua ética para enriquecer. Trata-se de um triste reflexo de nossa sociedade ver homens de negócio, advogados, professores universitários e políticos envolvidos em atividades ilegais.

Ouvi inúmeras vezes o argumento de que é impossível ser honesto e se tornar rico. Isso é uma falsa verdade criada pelos

Trabalhe de acordo com o que você é e não com o que você gostaria de ser.

Não há maior desperdício de tempo do que tentar ser o que você não é e jamais poderá ser de forma prazerosa.

Faça o que mais lhe agrada e você terá sucesso sem se estressar ou se esforçar.

Este é o caminho do preguiçoso bem-sucedido: atingir o sucesso da maneira mais saudável e relaxada possível.

"Algumas vezes é mais importante descobrir o que não se pode fazer do que o que se pode fazer."
LIN YUTANG

"Escreva de graça até que alguém ofereça dinheiro. Se ninguém oferecer nada durante três anos, o aspirante pode encarar isso como um sinal de que está destinado a serrar madeira."
MARK TWAIN

desonestos para justificar suas falcatruas. Na verdade, as pesquisas indicam que um dos principais fatores para alguém enriquecer é sua honestidade na condução dos negócios. Muitos constroem um bom patrimônio desenvolvendo carreiras respeitáveis e demonstrando integridade em suas transações financeiras. Há muita gente talentosa mas sem escrúpulo, que precisaria de uma psicoterapia.

Quem se preocupa em fazer sucesso dificilmente troca sua integridade por dinheiro. Se o faz em um momento de fraqueza, imediatamente retorna ao caminho da correção. Os preguiçosos bem-sucedidos, por exemplo, não abrem mão de sua paz de espírito e de sua reputação para faturar algum de forma duvidosa. Confiantes nas próprias habilidades, eles preferem capitalizar as oportunidades que se apresentam e ganhar a vida de forma honesta e decente.

Como ninguém é perfeito, acredito que todo mundo tem um lado trapaceiro escondido. A maioria, em algum momento, fez um pacto com o diabo para poder gastar um pouco mais. Onde e quando escolhemos traçar a linha que nos leva de volta para o bom caminho é o que determina o tamanho de nossa integridade.

A lei do carma deveria nos manter longe de tudo o que é ilegal e desonesto – afinal, a lei do eterno retorno é uma verdade: tudo o que fizermos com os outros eventualmente retornará de uma forma ou de outra. Tendo isso em mente, devemos nos empenhar em ser íntegros, mesmo que essa atitude prejudique nossa situação financeira a curto prazo. O retorno é a paz interior e a satisfação de saber que não cometemos trapaças ou fraudes para ganhar dinheiro.

Henry Miller notou que "o que distingue a maioria dos homens de alguns poucos é sua incapacidade de agir de acordo com suas crenças". Se os seus valores incluem a honestidade, a integridade, a ética e a moral, é melhor levar a sua vida dessa forma, não importa quantos de seus amigos e conhecidos desrespeitem esses valores. Isso vale mesmo quando você achar que pode ganhar muito dinheiro de maneira fácil e rápida.

A melhor política é nunca se envolver em um trabalho, negócio ou qualquer outra empreitada que dependa de algo duvidoso. Acredite: vender hoje uma parte de sua alma a US$ 10 mil poderá lhe custar bem caro no futuro.

Não se especialize em futilidades se você deseja ser um mestre do que é importante.

Esse é o princípio mais relevante para quem deseja ser bem-sucedido.

É algo muito importante, porém tão simples que muitas pessoas não prestam atenção a isso.

"Um dos principais motivos pelos quais as pessoas são desinteressantes é que elas negligenciam sua própria profissão ou vocação e dividem sua atenção entre uma grande quantidade de objetivos e buscas."
NATHANIEL EMMONS

A integridade vem do seu caráter e de como você leva a sua vida. Não importa quanto dinheiro você conquiste em uma transação duvidosa, você nunca poderá recomprar a integridade que perdeu. Caso se desvie um milímetro que seja do caminho da honestidade, isso será descoberto mais cedo ou mais tarde e, a partir de então, os outros vão pensar duas vezes antes de negociar com você. A confiança é um dos mais importantes patrimônios e garantia de relacionamentos profissionais sólidos.

É importante lembrar-se da premissa de que a riqueza só existe quando se ganha dinheiro de maneira satisfatória para você e para os outros. Mesmo que você acumule muitos milhões, não vai conseguir se sentir respeitável, muito menos apreciar a recompensa. A não ser que você seja um membro da máfia, não há nada nobre em ser desonesto – trapacear certamente não pode ser considerado um benefício.

Manter sua auto-estima e sua dignidade pessoal é essencial para conquistar o sucesso e a felicidade sem passar por situações estressantes. Acredite em mim. Você não vai querer acordar pela manhã e olhar para si mesmo com desdém. Como um preguiçoso bem-sucedido em seu caminho tranqüilo para o sucesso, você não pode comprometer sua integridade por nenhum motivo, por ninguém, por nada nem pela sua carreira.

Você saberá quando encontrar o trabalho ou a carreira certa.

De modo geral, não se parecerá com "trabalho" para você.

Em vez disso, será uma diversão pela qual você será muito bem pago.

Você faria esse trabalho alegremente sem ganhar nada – se fosse preciso, até pagaria para fazê-lo – se não tivesse que ganhar a vida.

"Trabalho é o que você faz quando preferia estar fazendo outra coisa."
J. M. BARRIE

"Eu fiquei orgulhoso de trabalhar com o grande Gershwin, inclusive teria trabalhado de graça para ele, como de fato o fiz."
HOWARD DIETZ

CAPÍTULO 3

SUA CRIATIVIDADE FARÁ DE VOCÊ UM MILIONÁRIO

Desfrute o processo de realização sem expectativas exageradas a respeito de resultados específicos.

A idéia de que você precisa atingir um determinado resultado em certo tempo irá gerar tantos problemas que o esforço acaba não sendo compensador.

Trabalhe tendo em vista seus objetivos, mas deixe que o universo o surpreenda em sua caminhada.

"Aquele que nunca sacrificou o presente em nome de um bem futuro, ou algo pessoal em nome do coletivo, sabe tanto sobre a felicidade quanto um cego conhece as cores."
OLYMPIA BROWN

Não há botão de *desligar* em sua máquina de genialidade

A sabedoria de todas as culturas e religiões através dos tempos tem enfatizado o formidável poder de nossa mente para criar uma vida digna. Em relação a isso, todo o sucesso que obtivermos começa com a qualidade de nosso pensamento, que depende, em grande parte, de nossa capacidade criativa.

A criatividade é uma ferramenta poderosa e, como a verdade, pode ser libertadora. Quanto mais inventivas forem suas idéias, menos você irá depender do trabalho duro para atingir o sucesso.

Isso faz da criatividade a essência do estilo de vida do preguiçoso bem-sucedido.

Os pesquisadores que estudam o tema dizem que a maior diferença entre as pessoas criativas e as que não são criativas é que as primeiras têm consciência de sua habilidade natural e a utilizam em seu proveito. Trata-se de um recurso que pode ser usado por qualquer um que esteja disposto a fazer o esforço necessário para desenvolver seus talentos e, com isso, gerar independência financeira e, especialmente, bem-estar emocional.

Quando se tem consciência do próprio potencial criativo, as coisas que se desejam na vida acontecem em um ritmo tranqüilo. A mente criativa valoriza a qualidade de vida. Como diz o apresentador David Letterman: "Não há um botão de *desligar* em sua máquina de genialidade."

Eis aqui os princípios da criatividade que constituem a essência de meu livro *The Joy of Thinking Big* (O prazer de pensar grande):

- Escolha ser uma pessoa criativa.
- Busque soluções e alternativas.
- Tome nota de suas idéias.
- Analise profundamente suas idéias.
- Identifique seus problemas com clareza.
- Veja os problemas como oportunidades.
- Tente o que é mais óbvio.
- Arrisque-se.
- Ouse ser diferente.
- Seja irracional.
- Divirta-se e aja espontaneamente.
- Viva o aqui e o agora.
- Pense de forma pouco convencional.
- Desafie as regras e as suposições.
- Reflita bem antes de tomar decisões importantes.
- Seja paciente e persistente.

Há dois princípios para o sucesso criativo – um é geral; o outro, definitivo.

O primeiro é que todos podem ser criativos e fazer uma grande diferença neste mundo.

O segundo, e definitivo, é que quase todos se ofereceram voluntariamente para ser dispensados do princípio geral.

"Por natureza, todos os homens são semelhantes; pela prática, diferenciam-se enormemente."
CONFÚCIO

"Ninguém nasce gênio, a pessoa se torna gênio."
SIMONE DE BEAUVOIR

Seguir esses princípios diariamente pode tornar qualquer pessoa muito mais criativa. O que determina o grau de sucesso e de felicidade de cada um na vida é o seu nível de dedicação.

Do ponto de vista financeiro, o patrimônio mais importante não é a qualidade da educação, o emprego, a casa ou a conta bancária, mas o cérebro. Considerando que você pode usar sua mente para gerar muitos milhões de dólares ao longo da vida, seu valor é altíssimo – afinal, sua criatividade pode torná-lo um milionário.

Coloque sua mente para funcionar e você verá como surgirão idéias sobre como sobreviver e ganhar dinheiro. Conforme esses pensamentos forem surgindo, você irá se sentir cada vez mais próspero. Eu tenho o hábito de visualizar uma árvore à qual sempre acrescento os projetos potencialmente lucrativos. É impressionante como essa estratégia levanta o meu astral nos dias em que tudo o mais parece dar errado.

Quanto mais você se considerar uma pessoa criativa, mais próspero se sentirá, além de mais confiante na sua capacidade de gerar riqueza sem ter que trabalhar duro para isso. O que não quer dizer, claro, que você deve sair por aí se exibindo ao volante de um BMW ou de um Porsche. Isso pode ficar para mais tarde, quando você já tiver US$ 1 milhão ou US$ 2 milhões devidamente aplicados em uma conta de investimentos.

Por outro lado, não hesite em gastar um bom dinheiro jantando com um amigo para discutir seus projetos. Ao fazer isso, você vivencia a consciência da prosperidade, ao mesmo tempo em que se prepara para desfrutar o sucesso e a riqueza que virão mais tarde.

Considerando que a criatividade é seu principal patrimônio, é essencial cuidar muito bem dela. Assim como um luxuoso carro esporte, ela também requer manutenção constante e precisa estar sempre polida e ajustada para que você tire dela o maior proveito possível. Como bem disse Hubert H. Humphrey, "muito do progresso foi produto de um indivíduo que teve uma idéia, seguiu adiante com ela, aprimorou-a, ultrapassou todos os obstáculos, afinal concretizou-a, vendeu-a e tirou proveito dela".

Uma coisa é certa: quem trabalha em projetos inovadores será responsável pela geração de enormes benefícios para a humanidade, além de alcançar o sucesso pessoal a longo prazo. Para que você possa entrar nesse clube, sugiro a leitura de livros sobre o tema. Do ponto de vista dos negócios, meu predileto é *Um "toc" na cuca*, de Roger Von Oech. Além de original no título, é um livro divertido e fácil de ler. Se você preferir uma abordagem mais artística, recomendo *Guia prático para a criatividade*, de Julia Cameron.

Nunca use a desculpa de que você não nasceu tão talentoso ou bem-aventurado quanto os outros.

O jogo da vida é muito parecido com uma partida de pôquer.

As cartas que você recebe ao nascer não são tão importantes quanto a maneira como você lida com elas.

Você sempre pode compensar criativamente o que lhe falta em termos de talento ou de sorte.

Jogar mal tendo uma trinca de ases na mão não o levará tão longe quanto jogar bem com uma péssima combinação de cartas.

"Faça bom uso do que não tem valor."
ELIZABETH BERESFORD

"A habilidade é a riqueza dos pobres."
MATTHEW WREN

Quanto mais criativos forem seus pensamentos, menos cuidados e preocupações você terá

Lembre-se da premissa básica deste livro: para ser bem-sucedido, é preciso trabalhar menos e pensar mais – nas coisas certas, é claro. Quanto mais positivos e criativos forem seus pensamentos, menos cuidados e preocupações você terá.

Os pesquisadores dizem que uma pessoa comum produz cerca de 70 mil pensamentos por dia. Você pode refletir: "Nossa! Isso é muito impressionante. Imagine o potencial de meus pensamentos se apenas uma pequena fração for apoiada por ações criativas!" Até aí, tudo bem, exceto por dois detalhes: a maior parte desses pensamentos é comum a todas as pessoas e, em sua maioria, trata de sentimentos negativos, resultantes de medo e preocupações.

A habilidade criativa é desperdiçada em razão do medo e das preocupações. Exemplo: quem deseja escrever, em geral, tem medo de que seus livros nunca sejam publicados de fato, enquanto quem possui talentos artísticos acaba estudando Direito porque teme que seus pais não aceitem que siga a carreira artística. Há ainda quem possua uma bela voz, mas se torna um economista desanimado porque receia não conseguir ganhar a vida como cantor.

Da mesma forma, muitas pessoas trabalham mais do que o necessário porque obedecem ao medo e não à sua mente criativa. É o temor que as faz crer que a única forma de garantir um futuro economicamente viável é se dedicando a um emprego convencional e ao trabalho duro. Como resultado, levam vidas desequilibradas e cheias de frustrações, estresse e desilusões.

Energia positiva gera pensamento positivo. Já a negatividade, o medo, as preocupações, a inveja, o ódio e a raiva endurecem o espírito humano e atrapalham a conquista do que desejamos na

A criatividade é seu patrimônio mais valioso, e sua maior segurança.

Portanto, cuide melhor de sua mente do que de seu carro. A menos, é claro, que você dê mais valor ao carro.

Nesse caso, fique com o carro.

"É muito difícil ter pensamentos nobres quando se está preocupado basicamente em ganhar a vida."
JEAN-JACQUES ROUSSEAU

"A felicidade está na alegria da realização e na emoção do esforço criativo."
FRANKLIN ROOSEVELT

vida. Só alcançamos o verdadeiro sentido de abundância quando os pensamentos positivos prevalecem. Alguns palestrantes motivacionais dizem que o ideal é não ter nenhum pensamento negativo, mas não acredito que a eliminação total seja possível. Diminuir sua freqüência já é de grande ajuda.

Os pensamentos criativos e positivos superam o medo e melhoram a parte financeira e emocional de qualquer um. Eu mesmo tive essa experiência. Três anos antes de começar a escrever este livro, as vendas de meus livros anteriores estavam tão baixas que já não rendiam o suficiente para me manter. Apesar de ter feito uma boa poupança, eu me preocupava com o futuro e, por isso, comecei a pensar em procurar um emprego convencional (pensando bem, acho que devo ter ficado temporariamente louco).

Claro que a preocupação não fazia com que meus problemas desaparecessem. Então, um dia, quando estava sentado em meu café predileto, lembrei-me da época em que estava devendo a Deus e todo mundo, sem saber como iria pagar o aluguel do mês seguinte. Também relembrei como mantive o otimismo e consegui publicar livros que acabaram gerando dinheiro suficiente para me manter.

Foi aí que percebi como minha vida estava boa: a saúde perfeita e a criatividade funcionando a mil – essas coisas não têm preço. Tendo isso em mente, relaxei e consegui ver tudo de forma mais positiva. Em meia hora tive três idéias para novos livros – até o momento, dois deles foram lançados, mas deixei o terceiro de lado, apesar de ainda acreditar que ele tem um potencial incrível. O livro incompleto é agora o projeto que guardo como um ás na manga, caso eu fique temporariamente sem novas idéias.

Pode parecer estranho, mas o fato de conseguir relaxar e ter pensamentos positivos me ajudou a perceber várias oportunidades criativas e financeiras. Foi assim que voltei a colocar as coisas em sua perspectiva correta e superei a insegurança que sentia. Voltei a seguir meus instintos, em vez de permanecer dominado pelo medo.

Durante os três anos que se seguiram, trabalhei apenas duas ou três horas por dia, em vez das quatro ou cinco horas que são o meu padrão. Continuei vivendo confortavelmente e consegui economizar US$ 40 mil. Se tivesse ficado preocupado com a falta de dinheiro, não teria conseguido resolvê-la. Em situações desse tipo, é melhor adotar uma postura tranqüila em relação aos problemas: é muito mais criativo – e produtivo.

Para colocar isso em prática, temos que superar o medo do que poderá acontecer se falharmos. A menos que você enfrente o fantasma do medo, ele crescerá até se tornar grande o bastante

Ao se aventurar em uma nova área, use sua imaginação.

Para ganhar credibilidade, você precisa ser 10 vezes mais criativo que os especialistas.

Felizmente, isso não é tão difícil assim.

"Use a cabeça. São as pequenas coisas que fazem a diferença."

GRAFITE

"Sabemos que os gênios têm a tendência de abastecer os idiotas com idéias, ainda que 20 anos depois."

LOUIS ARAGON

para afetar o seu equilíbrio emocional. Mesmo que você seja capaz de ter idéias criativas para ganhar dinheiro ou obter sucesso, as propostas surgidas nesse estado são inúteis. Afinal, se você se preocupar demais, também estará com medo demais para se arriscar a transformar idéias em ações.

Curiosamente, muita gente acha que preocupar-se atende a um objetivo. Nada mais enganoso. A maioria das inquietações (ou talvez todas elas) é puro desperdício. Emoções desse tipo não o ajudarão a resolver os problemas e a alcançar suas metas. Em vez disso, drenarão sua energia e o impedirão de conquistar o que você quer na vida.

A preocupação excessiva bem como o medo não apenas obstruem nossa criatividade – eles sufocam nossos desejos, nossos sonhos e nossa prosperidade. Preocupar-se é como olhar para vizinhos briguentos através de um grande binóculo. Os problemas não desaparecem, ao contrário, são ampliados e se tornam ainda piores do que realmente são.

A segurança é um tipo de morte

Uma forma de superar a idéia de que é preciso trabalhar duro para ser bem-sucedido é aprender a lidar com a questão da segurança. Em um mundo tão cheio de incertezas, a riqueza é o pré-requisito básico para se conquistar a segurança econômica, física e emocional que todos desejam tanto. Contadores, investidores, consultores e outros profissionais ligados ao mercado financeiro irão convencê-lo de que montar uma carteira de investimentos que inclua imóveis, ações, apólices e letras de câmbio é a melhor maneira de lidar com esse ambiente volátil.

A verdade é que não existe segurança plena e absoluta, muito menos conforto emocional, como as pessoas imaginam. "Desde o início dos tempos, ninguém teve segurança alguma", declarou certa vez Eleanor Roosevelt. Realmente, segurança é um conceito sutil. A vulnerabilidade de um milionário é a mesma de um pobretão: ambos podem morrer em um acidente de automóvel ou em um ataque terrorista; podem ter problemas de saúde e também podem perder seu dinheiro caso haja um colapso no sistema financeiro. Isso é estranho, não? Por um lado, desejamos e lutamos para ter segurança. Por outro, pode ser que não exista nada sequer próximo a isso.

Para entender melhor se o dinheiro traz ou não segurança, examine com atenção as pessoas mais obcecadas com o assunto. Elas tendem a ser rígidas, inflexíveis e nem um pouco criativas. Suas despesas em geral limitam-se ao básico em termos de alimentação, roupas e seu lar. O apego ao dinheiro é tamanho que elas só admitem gastar algum quando acham que estão fazendo

Imagine que você tem total controle sobre sua vida.

A pergunta é:

Por que você tem que imaginar isso?

"Nenhum pessimista jamais descobriu os segredos das estrelas ou navegou até terras desconhecidas ou inventou novos paraísos para a alma humana."
HELEN KELLER

"Preocupações são tão inúteis quanto uma alça em uma bola de neve."
MITZI CHANDLER

o melhor negócio possível. Uma extravagância as deixa extremamente ansiosas, preocupadas, com medo e sentindo-se vulneráveis. Qualquer centavo gasto parece retirar um pouco de sua paz interior.

Para muita gente, segurança é sinônimo de um trabalho estável, com horário fixo, atividades bem definidas e um futuro previsível. Essas pessoas precisam de um salário garantido no fim do mês, mesmo que ele seja mediano, e a perspectiva de pequenos aumentos ao longo da vida. Não percebem que o emprego nesses tempos modernos não tem nenhuma garantia. Ele pode pagar suas contas hoje, mas não garante o dia de amanhã.

"A segurança é um tipo de morte", definiu o dramaturgo e escritor Tennessee Williams. Essa definição combina perfeitamente com as pessoas cuja extrema inquietação provoca incompatibilidade com uma vida tranqüila e próspera. Paradoxalmente, para sentir-se mais seguro, é preciso preocupar-se menos com a segurança no sentido original da palavra, que vem do latim *securus*, que significa "por conta própria". Nesse sentido, a verdadeira segurança é um estado de espírito, não uma questão de acúmulo de riqueza ou qualquer outro símbolo de status.

Se existe alguém neste mundo que se sente seguro, certamente não é porque possui dinheiro e posses materiais. Apenas os criativos são capazes de desfrutar essa sensação, pois não estão nem aí para a idéia de acumular riqueza. Essa é a principal diferença entre pessoas preocupadas com a segurança e pessoas criativas preocupadas com a prosperidade: as que têm idéia fixa em "segurança" são as mais inseguras do ponto de vista emocional.

É bom examinar o que leva pessoas criativas a ser bem-sucedidas. Para começar, seu comportamento é ligeiramente diferente – elas amam a ambigüidade, odeiam qualquer rotina, questionam o status quo e têm elevada auto-estima. Não necessitam de qualquer tipo especial de ajuda ou vantagem sobre as outras. Já quem se preocupa com a segurança é aventureiro, está disposto a assumir riscos e pronto a enfrentar projetos que sejam novos, diferentes e desafiadores. Também quer ter sucesso e ser recompensado com base em seus próprios méritos.

Outra característica admirável dos criativos de carteirinha é sua flexibilidade para lidar com a vida. Apesar de não ficarem antecipando catástrofes, quando surgem adversidades, geralmente tratam de encontrar alguma vantagem na situação. Dessa maneira, ou elas encaram a recessão econômica como um mero inconveniente ou a transformam em uma grande oportunidade de construir algo inovador e positivo, aproveitando para, ao mesmo tempo, enriquecer.

Não há dúvida de que a preocupação exagerada com segurança impede o bem-estar em sentido pleno. A independência financeira pode trazer liberdade, mas não garante segurança

A maneira como sua mente funciona certamente o afeta.

Pense que a vida é fácil; ou pense que a vida é difícil.

De qualquer forma, você estará certo.

"Muitas vezes há menos perigo nas coisas que tememos do que naquelas que desejamos."
JOHN CHURTON COLLINS

"Se alguém deseja o sucesso, mas se prepara para o fracasso, terá o que espera."
FLORENCE SCOVEL SHINN

física, emocional ou econômica, pois estas simplesmente não existem. Saber que suas habilidades sempre vão criar meios para que você consiga pagar suas contas é a melhor segurança que uma pessoa pode ter. Concentre-se menos no valor de seu patrimônio e mais em ser uma pessoa criativa e equilibrada – nesse caso, a idéia de "segurança" terá um novo sentido.

Não há espaço para a prosperidade e para o sucesso quando se pensa apenas em segurança. A criatividade é sua melhor segurança. Ela é dinâmica, enquanto um monte de dinheiro ou um terreno são estáticos, além de oferecerem uma falsa ilusão de proteção. É muito mais difícil perder a criatividade do que bens materiais. Afinal, as pessoas criativas, cuja identidade se baseia em seus interesses, valores, crenças, pensamento crítico, habilidades e imaginação, se adaptam às mais diversas circunstâncias.

As oportunidades surgem o tempo todo: você está disponível?

O melhor investimento que você pode fazer é aperfeiçoar a capacidade criativa de sua mente. Para que isso o leve a ganhar dinheiro, tire proveito das oportunidades que surgem em seu caminho. "E onde elas estão?", pergunta você. A resposta é: em todo lugar, inclusive dentro de casa.

Um dos mitos mais comuns é o de que todas as boas oportunidades para se ganhar dinheiro já foram exploradas. Não é verdade. Oportunidades aparecem e desaparecem diariamente sem que sejam exploradas, muitas vezes sequer percebidas. A internet, com seu crescimento rápido, gerou vários tipos de negócios que não existiam até pouco tempo. Novos produtos, serviços e tecnologias surgem a cada dia porque alguém foi criativo e teve motivação suficiente para aproveitar as chances.

O desafio é tirar proveito de situações por vezes banais, a que outros tiveram acesso, mas deixaram passar por medo ou por falta de motivação. Infelizmente, poucos são aqueles capazes de identificar uma grande oportunidade, mesmo quando ela é explícita e acessível. As pessoas estão ocupadas demais pensando na programação da TV ou reclamando da falta de oportunidade para prestar atenção no que está à sua disposição.

Quem tiver uma abordagem pragmática diante dos problemas, encarando-os como oportunidades de negócios, não vai ter dificuldade para prosperar. Casas mais acessíveis, utensílios domésticos mais eficientes, comidas mais nutritivas, carros menos poluentes, técnicas para reduzir o estresse e férias mais baratas são alguns exemplos de coisas necessárias nos dias de hoje. Para atender a essas demandas, centenas de milhares de pessoas abriram negócios próprios, muitas vezes em suas residências.

O mundo é pródigo para pessoas autoconfiantes, dispostas a arriscar o que for preciso para vender idéias, conselhos, tempo,

Pense pequeno, se for necessário, mas ao menos pense.

Mesmo algumas poucas idéias criativas o colocarão à frente da maior parte da humanidade.

Quem não pensa por conta própria é escravo da opinião pública e das inúteis "regras" sociais.

Infelizmente, pessoas assim são imunes às oportunidades de fazer uma grande diferença no mundo.

"A coisa mais impressionante sobre a mente humana é a abrangência de suas limitações."
CELIA GREEN

"Mesmo o pica-pau deve seu sucesso ao fato de usar a cabeça."
SABEDORIA POPULAR

produtos, energia, entusiasmo e serviços para os que precisam deles. Na última década surgiram mais milionários nos Estados Unidos do que nos últimos dois séculos. É provável que nos próximos 10 anos tenhamos 10 vezes mais milionários do que temos hoje.

Mesmo que você queira apenas ganhar o suficiente para se manter com um trabalho que lhe dê satisfação, não pode deixar de aproveitar as chances que o mundo lhe oferece. Deve também ignorar os pessimistas, sempre alegando que "isso não pode ser feito". Algumas das maiores oportunidades estão justamente em coisas que os outros dizem ser impossíveis. Quando você atingir o que um dia você mesmo considerou inatingível, experimentará seu momento de glória. A satisfação será ainda maior se alguém tiver dito que aquilo "não poderia ser feito".

Se desejar se tornar uma pessoa bem-sucedida porém tranqüila e que faça alguma diferença neste mundo, você precisa estar alerta para as oportunidades que surgem e fazer algo de produtivo com elas. Para tirar partido desses momentos, você deve manter seu maior patrimônio em forma – ou seja, sua criatividade precisa estar a mil. É dela que surgem as melhores idéias para ganhar dinheiro, então é importante usá-la constantemente.

O ócio criativo é bom para o seu fluxo de caixa

Na década de 1940, o empresário Henry Ford contratou um especialista em produtividade para examinar sua empresa, a Ford Motor Company. O relatório foi bastante favorável, exceto por um determinado funcionário: "Aquele homem preguiçoso em seu escritório está desperdiçando seu dinheiro. Todas as vezes que passei por lá o encontrei sem fazer nada, sentado com os pés sobre a mesa."

Ford respondeu: "Aquele homem um dia teve uma idéia que nos economizou milhões de dólares. E seus pés estavam apoiados no mesmo lugar onde estão agora – na mesma mesa."

Moral da história: o ócio criativo é bom para o seu fluxo de caixa. Uma única sessão de pensamento criativo pode lhe render US$ 1 milhão no futuro – e o direito de ficar com os pés para cima o resto da vida. Lamentavelmente, muitas pessoas não conseguem encontrar nem tempo nem espaço para gerar idéias que possam contribuir para uma vida mais criativa; estão

Qualquer maluco pode ter uma ou duas idéias boas.

Mas isso é o mais longe que os grandes pensamentos vão – eles são apenas pensamentos, nada mais.

Qualquer opinião surpreendente permanecerá um segredo muito bem guardado em sua mente, assim como absolutamente desconectada do mundo real, se você tem medo de usá-la.

"Palavras que não se traduzem em conquistas não são importantes."
Ernesto "Che" Guevara

"Dê visibilidade ao que, sem você, provavelmente nunca seria visto."
Robert Bresson

ocupadas demais com o trabalho maçante e burocrático para que possam parar e se dedicar a pensar de forma relaxada.

Como vivemos em uma sociedade voltada para o trabalho, é difícil escapar do senso comum que nos incentiva a trabalhar duro para atingir o sucesso. Somos levados a crer que fama e fortuna estão à espera daquele que se esforçar mais. Chegamos ao ponto de acreditar que levar a vida com leveza nos impedirá até mesmo de enriquecer. A ironia é que, na verdade, esse comportamento nos ajudaria a enriquecer mais rapidamente. Sem contar que o excesso de trabalho pode ser perigoso para nosso potencial criativo.

A ética do trabalho é uma força insidiosa em nossa sociedade: ela dita que devemos estar sempre ocupados e produtivos e que o ócio é uma atividade nociva que reprime a ambição e interfere com o rendimento no trabalho. A verdade é exatamente oposta – o ócio é um sinal saudável de quem tem aspirações e uma ferramenta eficaz para acelerar a produtividade e a riqueza a longo prazo.

Como muitas outras pessoas, você provavelmente foi programado para trabalhar duro, com foco e concentração, e de forma analítica. Pode, portanto, achar difícil aceitar que seria bom tornar-se intencionalmente um "vagabundo". Aproveite para lembrar-se dos personagens altamente criativos, e muito produtivos, que se notabilizaram ao longo da história pela capacidade de extrair prazer do trabalho. Mark Twain, por exemplo, escreveu quase todos os seus livros na cama. Era um preguiçoso bem-sucedido, como foram Oscar Wilde, Bertrand Russell, Robert Louis Stevenson e W. Somerset Maugham.

Para ser altamente criativo, experimentar a consciência da prosperidade e investir em sua independência financeira, você deve ser capaz de relaxar, examinar a situação como um todo e ter visão de longo prazo. Muitos dos grandes feitos na história da humanidade começaram com um grande insight em um ambiente tranqüilo. Arquimedes estava tomando banho quando formulou a teoria da hidrostática. Isaac Newton estava sentado sob uma árvore quando foi atingido por uma maçã e teve o insight sobre a gravidade.

Esses dois indivíduos notáveis provavelmente jamais teriam feito suas respectivas descobertas em um local de trabalho tradicional. Se estivessem na bancada de um laboratório ou em um escritório atendendo telefonemas, verificando os e-mails ou freneticamente preenchendo papelada o dia inteiro, esses gênios

Uma vida segura é uma vida de sacrifícios.

Quem não se aventura quase não comete erros, mas quem arrisca muito – e falha muitas vezes – terá trilhado um caminho mais proveitoso.

"Deus não exige que sejamos bem-sucedidos; exige apenas que tentemos."
MADRE TERESA

"Sua verdadeira segurança está em você. É inegável que ninguém conhece melhor sua capacidade de realização."
MAE WEST

certamente não teriam sua imaginação devidamente estimulada.

O ócio criativo é importante para a prosperidade. Um estilo de vida agitado tem efeito reverso, impedindo-o de entrar em contato com idéias criativas que podem lhe valer uma fortuna. Quando você usa todo o seu potencial, pode se dar ao luxo de ser um pouco preguiçoso e ainda assim ganhar mais dinheiro que os workaholics.

Mesmo o bilionário Nicolas Hayek, co-fundador e diretor do Swatch Group, que transformou a insolvente marca de relógios suíça novamente em um império, dá o seguinte conselho: "Organize seu tempo, mas nunca organize 100% dele. Do contrário, você irá matar seus impulsos criativos."

Não são todas, mas há empresas que permitem que seus funcionários tenham uma abordagem mais tranqüila em relação ao trabalho. Empregados criativos que sabem ser ociosos na medida certa são menos estressados, mais felizes, e produzem mais idéias capazes de gerar lucros para suas empresas.

A Hewlett-Packard havia começado uma campanha para convencer seus 100 mil funcionários a equilibrar melhor o trabalho e o lazer. A empresa entendeu que muitas horas de trabalho e excesso de viagens de negócios reduziam a criatividade e desgastavam os funcionários emocional e fisicamente. Por isso, decidiu estimular as pessoas a trabalharem menos horas para manter tanto sua saúde emocional quanto o perfil inovador da empresa.

De acordo com Ellen Simons, do Newhouse News Service, os presidentes americanos mais eficazes foram aqueles que sabiam relaxar, não os workaholics. Ela chegou a essa conclusão baseada em entrevistas com vários historiadores especializados no assunto. Eles foram categóricos: o trabalho duro e a inteligência acima da média não garantiram sucesso aos presidentes americanos.

Para esses historiadores, o fato de Dwight Eisenhower e de Calvin Coolidge terem o hábito de descansar e relaxar os tornou mais eficazes do que Jimmy Carter e Theodore Roosevelt, que estavam sempre ocupados e trabalhavam até tarde da noite. O professor James McPherson, historiador de Princeton, concluiu que os presidentes mais produtivos foram aqueles que souberam delegar tarefas, assumiram a responsabilidade quando necessário e não trabalhavam em excesso. Um exemplo disso foi o presidente Ronald Reagan, que tirava sonecas regulares e refugiava-se em seu rancho em Santa Bárbara, Califórnia, para cortar madeira e consertar cercas como forma de lazer.

Idéias do tipo arrasa-quarteirão surgem quando você se sente à vontade, livre de estresse ou tensão e confiante em si mesmo. O ócio é, portanto, uma das melhores formas de liberar seu espírito criativo. Também facilita o autoconhecimento e o relacionamento com outras pessoas e com o mundo em geral.

Com o devido respeito em relação a seu sonhado desejo de segurança, eis um tema para reflexão:

A segurança é a grande obsessão das mentes medíocres, mas não passa de um breve capricho para os poderosos.

"Um negócio bem-sucedido é melhor do que uma fortuna herdada."
PROVÉRBIO GALÊS

"Nada de mal nos acontecerá. Se formos despedidos, não será um fracasso, será uma reavaliação vocacional da maturidade."
P. J. O'ROURKE

"Vamos nos alegrar e lembrar que os infortúnios mais difíceis de suportar são aqueles que nunca ocorrem."
JAMES RUSSELL LOWELL

O tempo que você dedica a atividades pessoais revela o estilo de vida que deseja para o futuro. Quanto mais intensamente você trabalhar, mais precisará recorrer ao ócio criativo para desenvolver valiosas idéias para gerar renda. Andar por trilhas, passear no parque, ler um livro ou andar a cavalo são atividades que dão à mente a chance de descansar e buscar novos territórios.

Os momentos de lazer não servem apenas para elevar sua imaginação a novos patamares. Eles também são bons para sua saúde, porque reduzem o estresse e ajudam a prevenir várias doenças. Além disso, é como saborear uma prévia da liberdade e da prosperidade que você irá atingir no futuro.

Uma das coisas mais produtivas que você pode fazer é tirar uma ou duas semanas de férias. Sua mente vai agradecer. Esqueça tudo o que diz respeito ao trabalho. Não se preocupe com quanto estará deixando de ganhar enquanto estiver longe. As idéias que surgirão certamente valerão centenas de vezes mais do que o que você ganharia se estivesse trabalhando.

Não é preciso ser um milionário para tirar alguns dias de folga de vez em quando. O ócio criativo faz com que as pessoas avaliem melhor o seu potencial, de forma que possam encontrar um trabalho mais de acordo com o estilo de vida que desejam – com certeza, menos frenético e menos estressante do que o da maioria das pessoas.

Um dia longe do trabalho torna possível refletir sobre a vida e deixar que sua mente divague. Isso poderá lhe trazer muitos dividendos psicológicos, físicos e financeiros – não imediatamente, é bom lembrar. O retorno de seu investimento se dará por meio de grandes idéias que você poderá colocar em prática para ganhar mais dinheiro no futuro.

O trabalho duro é inimigo da criatividade. Só o tempo livre permitirá que você se torne um preguiçoso bem-sucedido com grandes idéias para fazer do mundo um lugar melhor, além de ter uma vida confortável.

Ter dinheiro não significa ter segurança.

Apresente a um mestre zen uma pessoa protegida financeiramente e ele escreverá uma trágica biografia.

Você só se sentirá seguro de verdade por meio da criatividade, da aceitação dos riscos e da autoconfiança.

"Não há segurança no mundo, apenas oportunidade."
DOUGLAS MACARTHUR

"A habilidade de transformar idéias em ações é o segredo do sucesso."
HENRY WARD BEECHER

CAPÍTULO 4

ACEITE A VERDADE SOBRE O DINHEIRO E VOCÊ NÃO PRECISARÁ TRABALHAR TÃO DURO POR ELE

O dinheiro é o que você faz dele.

Dependendo de quem você é – e qual a sua forma de ver o mundo –, o dinheiro pode ser qualquer coisa.

Ele pode ser o maior de todos os males,
ou a resposta a todas as perguntas,
ou algo que você gasta descontroladamente,
ou uma forma de libertação,
ou um conceito interessante,
ou mesmo um conceito idiota.

"O dinheiro faz o mundo girar – isso e outros clichês igualmente idiotas."
SABEDORIA POPULAR

O dinheiro não fala, ele sussurra

Dinheiro. Dinheiro. Dinheiro. Nada é mais precioso que o dinheiro. Praticamente todo mundo deseja ter muito dinheiro. Ele está presente em todas as áreas da vida e pode afetar a qualidade de nossas relações, amizades, moradia, lazer e saúde.

Se usarmos a imaginação, podemos pensar em um número ilimitado de formas pelas quais podemos usar o dinheiro para aumentar o conforto e o prazer em nosso dia-a-dia. Ainda assim, o dinheiro pode ser muito frustrante, o que contradiz a máxima "Quanto mais dinheiro tivermos, mais felizes seremos".

Lamentavelmente, as pessoas muito ambiciosas se deixam manipular, humilhar e degradar em nome do dinheiro. Além disso, criam expectativas irreais em relação ao que ele pode fazer por elas e acabam experimentando emoções negativas como inveja, privação, rejeição e desilusão. A cobiça faz com que as pessoas esqueçam como se faz para relaxar, rir e se divertir – mesmo quando conseguem enriquecer.

Você talvez esteja achando que eu estou tentando convencê-lo a desistir de ganhar dinheiro. Nada disso! Não é essa minha intenção. Como quase todo mundo, gosto de ganhar dinheiro e de gastá-lo em coisas que melhorem minha vida. Não estou sugerindo que você abra mão desse projeto. Minha intenção é apenas colocar o dinheiro em seu devido lugar, de forma que você tenha expectativas mais realistas a respeito do que ele pode fazer por você.

Assim como o pescador da Costa Rica que citamos no primeiro capítulo, se você aprender a viver mais modestamente, não terá que trabalhar tanto e ainda assim terá uma vida plena, tranqüila, satisfatória e feliz.

Ninguém questiona o fato de o dinheiro ser um elemento essencial para a felicidade, para o conforto e para o prazer. Mas exatamente quanto dinheiro se precisa para ser feliz é uma outra questão. É verdade que o dinheiro pode eliminar algumas formas de infelicidade, mas, por outro lado, ele não garante a verdadeira felicidade. Esse ponto de vista é defendido pelo psicólogo da Universidade de Illinois Edward Diener. Em sua opinião, o dinheiro pode realmente acrescentar prazer à vida das pessoas, mas não a felicidade que advém do amor-próprio, da realização e da satisfação.

O dinheiro realmente pode fazer muito por nós, mas não pode assumir o controle de nossas vidas. Muita gente prefere se agarrar às suas crenças, atitudes e suposições sobre dinheiro, não importa quão contraditórias sejam as evidências a esse respeito. Aceitar a verdade destruiria a fantasia de que acumular muito dinheiro nos salvará.

Seja qual for o valor que dê ao dinheiro, você deve assumir a responsabilidade sobre ele.

Se você considera o dinheiro uma coisa maligna, você o fez assim.

Se você o considera um problema, você o fez assim.

Se você o considera uma alegria, você o fez assim.

Assuma a responsabilidade por suas concepções.

E tenha bem claro que são apenas conceitos – nada mais, nada menos.

Ainda que nossa relação com o dinheiro mude conforme as circunstâncias, a sociedade não incentiva a reflexão a respeito do seu verdadeiro valor. Quando colocamos o dinheiro sob uma perspectiva mais espiritualizada, afloram muitos aspectos absurdos. Isso acontece especialmente quando se está desempregado ou falido e o dinheiro ganha uma outra dimensão. "Quando o poço seca, descobrimos o valor da água", analisa Benjamin Franklin.

Se você já viveu esse tipo de situação, certamente imaginou que ficaria feliz quando pudesse novamente desfrutar uma situação financeira confortável. Como o dinheiro por si só não leva a uma melhoria geral na vida, provavelmente você se surpreendeu por estar se sentindo mais infeliz e mais miserável.

Em muitos casos, a fartura financeira nos impede de conseguir as coisas que consideramos importantes. Todo mundo sabe que o dinheiro não compra a felicidade, mas prefere fingir que isso não é verdade. No entanto, basta ver a quantidade de pessoas infelizes e sem entusiasmo pela vida que pertencem às camadas mais abastadas da população. Na verdade, as pessoas ricas raramente vivenciam a satisfação que supostamente acompanha a riqueza.

Um estudo do psicólogo Edward Diener mostrou que 1/3 das pessoas mais ricas dos Estados Unidos é menos feliz do que aquelas que pertencem à classe média. Não por acaso, a história mostra que multimilionários como J. Paul Getty e Howard Hughes se sentiam cada vez mais infelizes conforme enriqueciam. Não é surpreendente, portanto, que algumas das pessoas que se sentem mais miseráveis e infelizes sejam ricas.

Uma das razões para esse paradoxo são as altas expectativas que os ricos nutrem a respeito do que o dinheiro pode fazer por eles. Quando percebem que ele não traz mesmo a felicidade, ficam sem desculpas para sua infelicidade e se sentem ainda mais miseráveis.

Se você acha que o dinheiro pode mudar sua vida, é uma boa ocasião para repensar essa crença. Se você está se sentindo triste e insatisfeito, é porque há algo errado no plano emocional. Não se sinta mal com isso, apenas tome medidas para resolver suas dificuldades nessa área.

O dinheiro pode ser um veículo para aproveitar a vida ao máximo, contanto que você mantenha uma atitude saudável e tenha clareza sobre o que ele pode fazer para ajudá-lo a realizar seus sonhos. Isso evitará muitos desapontamentos, insatisfações, desilusões, úlceras e tiques nervosos.

É importante entender a riqueza como um meio para atingir um fim e não como medida de seu valor como pessoa. Ironicamente, quanto menos você avaliar a si mesmo de acordo com o dinheiro, mais você se permitirá ser criativo, o que reverterá em mais riqueza a longo prazo.

Os conceitos tendem a controlar nossas vidas.

O problema é que muitos conceitos não são reais – na verdade, eles não passam de ilusão.

As ilusões podem adquir muitas formas: um plano fantástico, uma crença, um desejo extraordinário.

Confundir ilusão com realidade não é o caminho para a liberdade.

Preencher sua vida com ilusões – especialmente as que dizem respeito ao dinheiro – significa preencher sua vida com tristeza.

"Se o dinheiro é sua esperança de atingir a independência, você jamais a terá. A única segurança real que um homem pode ter neste mundo é uma reserva de conhecimentos, experiência e habilidades."
HENRY FORD

Em um mundo materialista como o nosso, o sucesso está invariavelmente associado ao acúmulo de bens materiais. A prosperidade do preguiçoso bem-sucedido, contudo, se baseia em uma atitude positiva, em um estado emocional ao qual você pode chegar sempre que quiser.

Da mesma forma que é possível experimentar a consciência da abundância em uma economia ruim, é possível vivenciar a pobreza em plena pujança econômica. Os ricos podem ficar mais ricos e os pobres mais pobres, mas você não precisa se tornar nem uma coisa nem outra para se sentir próspero.

O dinheiro resolve todos os problemas, exceto aqueles que ele não resolve

Mesmo quando aceitamos a idéia de que o dinheiro não traz a verdadeira felicidade, não deixamos de sonhar em ter um ou dois milhões à nossa disposição. Não apenas pelo prazer, pelo conforto e pelo luxo que o dinheiro pode nos proporcionar, mas pela sensação irracional de que o dinheiro, no fundo, pode resolver nossos problemas.

Quanto mais nos apegamos a essa visão, mais nos enganamos. A realidade sempre bate à nossa porta, especialmente no que diz respeito aos problemas. Se você for habilidoso e controlado, uma maior disponibilidade de dinheiro, com certeza, resolverá seu problema de caixa. Mas, se você quer dispor de tempo e de energia para buscar as coisas que o fazem feliz, é preciso mudar seus hábitos.

As escolhas que você faz – o local onde você mora, por exemplo – determinam as dificuldades financeiras que você terá que enfrentar ao longo da vida. Essas opções dependerão de sua renda, de seus gastos, de suas expectativas do que é uma boa vida, das influências de seu cônjuge e seus filhos, de sua auto-estima, de sentimentos como inveja e até de seu nível de perfeccionismo.

Em um longo estudo feito pela Universidade de Illinois, Diener descobriu que pessoas que conseguem subir na vida acabam tendo mais problemas. Um aumento substancial na renda acaba complicando a vida de quem está acostumado apenas

Acredite você ou não, o dinheiro
não pode comprar a felicidade.
Não, isso não é uma piada.

Se você acredita que o dinheiro
pode comprar a felicidade,
a piada é você.

*"A falta de dinheiro é fácil de resolver;
a pobreza da alma, impossível."*
MONTAIGNE

*"A preocupação universal com o dinheiro
é um fato que traz esperança à nossa civilização.
O dinheiro é a coisa mais importante do mundo.
Representa a saúde, o vigor, a generosidade e a
beleza... Não deixa de ser uma de suas grandes
virtudes o fato de que ele destrói as pessoas
mesquinhas da mesma forma que fortifica
e dignifica as pessoas nobres."*
GEORGE BERNARD SHAW

a cobrir as necessidades e os desejos básicos. Eis algumas das dificuldades que essas pessoas podem enfrentar:

- Problemas nos relacionamentos com amigos e conhecidos.
- Sensação de estranheza em relação ao grupo.
- Dispêndio de tempo e energia para controlar as finanças.
- Medo crescente de ser roubado ou enganado.

- Maior risco de perder dinheiro em investimentos..
- Complicação da vida como um todo.

Tornar-se multimilionário não significa mudar para um condomínio exclusivo chamado Jardim Paraíso e viver em estado de nirvana durante toda a eternidade. "Se você quer ouvir histórias de glória e de fortuna, procure alguém que esteja correndo atrás disso. Se quiser descobrir o peso e as dificuldades da riqueza, pergunte a alguém que seja rico há muito tempo", disse Stanley Goldstein.

Seguindo a filosofia do preguiçoso bem-sucedido, a satisfação e a felicidade resultam de sua habilidade para lidar com as dificuldades pessoais e financeiras que surgirem pelo caminho. "Quanto maior o problema, melhor" deve ser o seu lema. Fazer isso ganhando pouco é um pré-requisito para lidar com a mesma situação quando você enriquecer. Aqueles que fazem o tipo *self-made man* são extremamente competentes em lidar com vários tipos de problemas. Foi assim que eles fizeram fortuna.

Seus ideais de uma vida saudável e livre de quaisquer problemas pessoais dependem basicamente de como você enfrenta as adversidades. Ao contrário do senso comum, a bem-aventurança financeira não resolve problemas pessoais. Rico ou talentoso, não importa – você irá passar por dificuldades.

A insanidade financeira tem muitos seguidores – inclusive eu e você

É muito mais fácil evitar problemas do que resolvê-los. Ainda assim, há quem se esmere em criar ou aumentar as próprias dificuldades. Lidar com o dinheiro de maneira inadequada é o jeito mais rápido de arrumar encrenca. A maioria das pessoas não sabe usar o dinheiro de forma inteligente. Ao que parece, só agem racionalmente quando não conseguem pensar em nenhuma

As coisas que são a essência da felicidade não têm preço nem podem ser compradas.

Entre elas estão a paz interior, a satisfação e a auto-estima.

Por que, então, você espera comprá-las se enriquecer?

"Muitas vezes pagamos um preço demasiado alto pelo dinheiro."
WILLIAM MAKEPEACE THACKERAY

forma irracional de gastá-lo. A insanidade financeira possui muitos seguidores – inclusive eu e você.

O modo como gastamos dinheiro não reflete nossos valores e desejos mais profundos. Compramos objetos e serviços questionáveis em detrimento de coisas que adoramos, tais como liberdade ou independência financeira. Somos capazes de guardar dinheiro meticulosamente para um ano sabático ou para a aposentadoria e de uma hora para outra gastar tudo em um momento de fraqueza.

Se você não se reconhece nessa descrição, provavelmente está em um processo de negação. Quem sabe você não faz o tipo que conta os centavos nas compras mensais de supermercado, mas desperdiça fortunas em coisas perfeitamente dispensáveis? Pode, inclusive, gastar boa parte do salário nas melhores bobagens que o dinheiro pode comprar e ainda por cima se endividar. Segundo Will Rogers, "muitas pessoas gastam o que não ganham comprando coisas que não querem, para impressionar pessoas das quais não gostam".

Apesar de ninguém gostar de admitir, cada um de nós carrega pelo menos um pouco dessa insanidade. O dinheiro traz à tona nossas excentricidades e idiossincrasias, o que é normal quando destiladas em doses homeopáticas. A reação irracional recorrente é que prejudica nosso bem-estar pessoal e financeiro. Modificar isso requer esforço, mas é essencial, se o que buscamos é uma vida alegre e plena.

A carência emocional e a falta de bom senso são as motivações inconscientes desse tipo de comportamento, que nos leva a comprar coisas de que realmente não precisamos ou pelas quais não podemos pagar. O dinheiro canaliza os desejos mais profundos, as metas, as esperanças e os sonhos.

Atrás de cada urgência consumista está uma profunda necessidade emocional que requer atenção. Pode ser a sede de poder, de status, de fama, de liberdade, de vingança, de respeito, de segurança ou de auto-estima. Pode ser até mesmo necessidade de ser amado. A única forma de mudar isso é entender exatamente que carências são essas e então preenchê-las de formas que o dinheiro não pode fazer – por exemplo, pela exteriorização de nossa criatividade e pela realização de exercícios mentais.

Nossas melhores compras são aquelas que nunca fizemos

Para os preguiçosos bem-sucedidos, o fator mais importante para atingir o sucesso financeiro é manter o dinheiro sob controle. Isso significa gastar menos e saber exatamente por que e em que seu dinheiro está indo embora. O segredo é examinar seus sentimentos quando a fúria consumista surgir.

Pergunte a si mesmo que necessidade psicológica está tentando satisfazer ou que deficiência emocional está tentando

A maioria das pessoas tem dificuldade em entender este conceito:

O dinheiro não fala, apenas sussurra.

Uma grande quantia de dinheiro resolve todos os problemas, exceto aqueles que ele não resolve.

E, para os mais descrentes, o dinheiro tende a criar alguns problemas que não existiam antes.

"Não vou negar
Que o dinheiro fala,
Ouvi uma vez
Quando me disse adeus."
RICHARD ARMOUR

"A prosperidade nada pode contra a adversidade."
PUBLÍLIO SÍRIO

preencher ao comprar algo novo. Você pode estar querendo reforçar sua auto-estima, o respeito dos outros, a aceitação, o sentimento de comunidade, de propósito, de prestígio, de recompensa, de paz, de felicidade, de amor, ou pode estar apenas tentando combater um sentimento de inveja ou de insegurança.

Depois de identificado o problema, seja honesto consigo mesmo e admita que a maioria das coisas pelas quais você anseia não terá nenhum impacto significativo em sua vida. Dizendo não aos "objetos do desejo", você não apenas aumenta sua poupança pessoal como aproveita melhor a vida, pois não vai mais desperdiçar tempo e dinheiro em coisas que não trazem nem prazer nem satisfação.

"Adote o princípio de conhecer a si mesmo, que é a coisa mais difícil do mundo", aconselha Miguel de Cervantes. Saber o que nos leva a gastar dinheiro com carros, casas, modas ou objetos de decoração é a única maneira de controlar as finanças pessoais. Isso pode ser a diferença entre conseguir chegar à aposentadoria com US$ 1 milhão na conta de investimento e não ter nada.

Na maioria das vezes, as compras feitas por impulso acabam proporcionando pouco prazer. Questione o verdadeiro valor de cada serviço ou item que você tem vontade de comprar. Certifique-se de que aquilo responde a um desejo pessoal sincero, que o produto é valioso e atende às suas necessidades. Será que você precisa daquele objeto para ficar no mesmo nível de um amigo que comprou algo similar? Você está pensando em ir às compras porque está chateado e acha que aquele objeto o ajudará a sentir-se melhor consigo mesmo?

Essa técnica é importante, pois permite que as decisões de compra sejam racionais. Dessa forma, você acaba descobrindo que não precisa nem deseja a maioria das coisas que chamam sua atenção. Em vez de deixar que os impulsos emocionais comandem, é possível analisar o custo-benefício do que estamos comprando e avaliar o que estamos recebendo em troca do dinheiro gasto.

Seja sincero a respeito de ter ou não prazer e satisfação com o item que você está comprando. Quanto mais você usufruir o que comprou, mais recompensadora sua decisão de compra será. Igualmente, não "esqueça" o tamanho de seu orçamento. Certifique-se de que o dinheiro está disponível e não foi destinado para outra coisa ou é um extra e pode ser usado para esse tipo de compra.

Se precisar parcelar o pagamento, essa compra provavelmente lhe fará mais mal do que bem. Não há prazer em ficar preocupa-

O dinheiro não é bom nem mau.

Não há nada de errado em ter muito dinheiro.

Apenas não espere que isso lhe garanta felicidade e paz interior.

Quanto menos alegria você esperar obter do dinheiro, mais se beneficiará dele.

"Os únicos problemas incuráveis dos ricos são os problemas que o dinheiro não pode resolver."
OGDEN NASH

do, dia e noite, pensando em como pagar as contas no fim do mês. Isso vale mesmo para as pequenas despesas: um CD de R$ 25 aqui, um expresso de R$ 3 ali e lá se vai o seu equilíbrio orçamentário.

"Cuidado com as pequenas despesas. Um pequeno vazamento pode afundar um grande navio", avisa Benjamin Franklin. As pequenas despesas podem transformar um superávit em um déficit. Tenha em mente que a diferença entre gastar 10% além do que você ganha e gastar 10% menos do que ganha é a diferença entre o caos financeiro e a liberdade pessoal.

Uma maneira de atingir independência financeira é forçar a si mesmo a estar inteiramente consciente sobre cada compra em potencial. Guardar dinheiro pode ser até divertido. Quando se sabe que existe uma boa poupança disponível para as contingências e para os prazeres da vida no futuro, fica mais fácil relaxar e aproveitar melhor o presente.

O importante é estar sempre se questionando a cada impulso consumista. Só assim você deixará as decisões irracionais de lado e, com isso, economizará centenas de milhares de reais ao longo das próximas décadas. O resultado é um presente – menos horas de trabalho todos os dias e uma vida plena, tranqüila, feliz e satisfatória.

Se este capítulo influenciá-lo a ponderar mais antes de ir às compras, considero que meu papel foi cumprido. E você terá um enorme retorno sobre o investimento feito na compra deste livro.

Há outras coisas na vida além de ter tudo

"Nós quase conseguimos, mas quisemos ter tudo." A frase da música *We Wanted It All* (Nós queríamos tudo), de Burt Bacharach e Carole Bayer Sager, exemplifica como vive grande parte das pessoas no século XXI. Na tentativa de "ter tudo" – fama, dinheiro, uma mansão na cidade e outra no campo, dois ou três carros, uma esposa atraente, filhos exemplares, grandes amigos e férias em lugares cada vez mais exóticos –, perdemos a chance de conquistar a felicidade.

Essa mentalidade é uma força poderosa e muito difundida na sociedade ocidental contemporânea. O marketing convenceu muitas pessoas de que elas não apenas têm direito a todos os luxos imagináveis como também são merecedoras disso. A expectativa se torna tão alta que mesmo Deus teria dificuldade em satisfazê-la. Estranhamente, apesar de termos mais coisas do que nossos semelhantes de gerações passadas, as pesquisas indicam que o nível geral de satisfação das pessoas está diminuindo.

Se há algo que pode ter levado a essa insatisfação generalizada, é essa necessidade de "ter tudo". Em nome dessa megalomania, as pessoas trabalham de forma excessiva, nunca relaxam.

Um antigo provérbio italiano aconselha: "Faça do dinheiro um servo devotado; do contrário, ele se tornará um mestre autoritário."

Em outras palavras, aprenda a controlar o dinheiro ou ele o controlará.

"Se fizer do dinheiro o seu deus, ele o atormentará como o diabo."
HENRY FIELDING

"Ser rico não é o fim das preocupações, apenas uma mudança."
EPICURO

E não percebem que entre os grandes desperdícios estão seus desejos insaciáveis, que, inclusive, as deixam financeiramente desequilibradas.

Por causa do excesso de consumo, cerca de 20% das famílias nos Estados Unidos com renda anual acima de US$ 100 mil dizem que gastam todo o seu dinheiro no que consideram "necessidades básicas". Estou certo de que isso é uma afronta às famílias que ganham US$ 30 mil por ano e ainda assim conseguem economizar de 10 a 20% de sua renda, mas a verdade é que quem tem esse tipo de comportamento se encontra preso em um círculo vicioso de trabalhar-e-gastar do qual não consegue sair.

A compulsão por ter e estar sempre adquirindo coisas cada vez maiores, assim como o medo de não tê-las, domina intensamente a vida das pessoas. Elas trabalham para pagar o que compram, trabalham ainda mais para poder comprar objetos ainda mais caros, e assim sucessivamente. Quando recebem um aumento, ele é gasto rapidamente com coisas supostamente mais novas, maiores, mais reluzentes, mais bonitas ou mais divertidas. Elas não suportam ver os outros com algo maior e melhor do que aquilo que possuem.

Se nos contentássemos com menos, acabaríamos vivendo de forma mais equilibrada e feliz. O verdadeiro desafio é decidir o que é realmente importante e deixar o resto de lado. Trata-se de uma batalha entre "o que precisamos" e "o que queremos". É preciso distinguir entre o indispensável e o desejável.

São muitos os desejos e poucas as necessidades. Muitas coisas que parecem indispensáveis não apenas são supérfluas como também demandam tempo, energia e dinheiro de nossa parte. Basta um pouco de pensamento crítico para transferirmos grande parte da lista de indispensáveis para a lista de desejáveis.

Sua mente pode ser seu maior patrimônio, mas lembre-se: ela também é capaz de iludir você. A maior ilusão que ela produz é fazê-lo acreditar que você precisa de todas as coisas que compra. Se deixar que ela continue enganando você dessa forma, o preço será seu dinheiro, sua saúde, sua individualidade e sua sanidade. O que pode acabar lhe custando uma vida plena, tranqüila, feliz e satisfatória.

Se você não mantiver seus desejos sob controle, nunca terá dinheiro suficiente para comprar aquilo que realmente deseja nem a liberdade para seguir o estilo de vida do preguiçoso bem-sucedido. É isso que acontece quando se pretende "ter tudo" – acaba-se não tendo nada. A única plenitude possível é nossa capacidade de apreciar cada momento e as coisas que já temos.

Seis regras pouco conhecidas a respeito do dinheiro:

1. Se o dinheiro se tornar seu único objetivo na vida, então tudo o que você terá é dinheiro.

2. Quem não tem dinheiro pode ser pobre, mas não tão pobre quanto quem não tem nada a não ser dinheiro.

3. Abundância não diz respeito à quantidade de dinheiro que você tem, e sim a ser feliz com o que você tem.

4. É melhor ficar sem dinheiro do que sem idéias a respeito de como ganhar dinheiro.

5. Gastar muito dinheiro o deixará com a sensação de que você está se divertindo, mas, na prática, você estará apenas gastando um monte de dinheiro.

6. Acima de tudo, o valor do dinheiro está na criatividade e no enfoque espiritual que você lhe confere, não nas coisas que consegue comprar com ele.

CAPÍTULO 5

VOCÊ TEM O DINHEIRO, MAS SERÁ QUE CONSEGUE COMPRAR ALGUM TEMPO?

Não tenha como objetivo na vida ganhar tanto dinheiro quanto puder.
Em vez disso, tenha como meta viver tão bem quanto puder, não importa quanto dinheiro você ganhe.

"A vida não deveria ser impressa em notas de dólar."
CLIFFORD ODETS

"Se eu soubesse como seria ter tudo, eu provavelmente teria ficado satisfeita com menos."
LILY TOMLIN

Ter sucesso no trabalho é irrelevante se você for um fracasso em casa

Um dos fatos da vida moderna é não ter tempo para fazer tudo o que desejamos. Ser bem-sucedido profissionalmente se torna irrelevante se você for um fracasso na vida pessoal. Independentemente da renda ou do patrimônio líquido, você só será próspero se atingir o equilíbrio entre trabalho e diversão. O ideal seria trabalhar no máximo 40 horas por semana e ter bastante tempo livre para a vida pessoal.

Você não deve sacrificar a felicidade por causa de alguns trocados a mais, especialmente se pretende gastar esse dinheiro de forma fútil, comprando objetos que não vão melhorar a sua vida de modo significativo. A vida fica totalmente sem sentido se sua principal razão para acordar e sair para trabalhar todas as manhãs for a necessidade de pagar por coisas que você não tem tempo de usar.

Qual é o sentido de estar bem financeiramente se você não tem tempo de curtir a vida, mas apenas subsistir? Descanso e atividades de lazer são essenciais para ter uma vida com um propósito e um sentido de realização. Não são as longas e árduas horas de trabalho, mas os amigos, a família, as aventuras, os passeios, a meditação, o ócio criativo e a satisfação espiritual que dão sentido à vida.

Dinheiro e posses são importantes, mas não o bastante para que você sacrifique sua saúde, seu lazer e sua vida pessoal. Se você não seguir essa regra, será pobre, não importa quanto ganhe. Pesquisas mostram que a prosperidade se alimenta de itens básicos como a qualidade de seu sono, de sua alimentação, de sua rotina de exercícios e de seu relacionamento com a família e amigos. Quem tem tempo disponível para fazer o que gosta é muito mais feliz e vive mais tempo do que quem se arrasta em trabalhos nada satisfatórios.

As pessoas mais ricas do mundo são aquelas que se divertem enquanto trabalham e ao mesmo tempo mantêm um bom equilíbrio entre trabalho e vida. Eu acredito em me divertir mais do que em trabalhar. Como minha carreira é muito prazerosa, apaguei o mais que pude a linha divisória entre trabalho e lazer. Ainda assim, não dedico mais do que quatro ou cinco horas diárias aos meus projetos profissionais.

É possível contra-argumentar que atividades extras não são importantes se você está se divertindo com o trabalho. Eu não concordo com isso, pelo simples motivo de que o mundo oferece muito em termos de entretenimento, aventura e aprendizagem.

Manter-se restrito ao ambiente de trabalho significa deixar de lado muitas outras experiências valiosas. Caso você considere o trabalho, sobretudo, uma forma de cumprir as obrigações financeiras, encontrar seu contraponto é ainda mais importante.

Pense bem a respeito disto:

Se você trabalha mais do que oito horas por dia, está no emprego errado.

Ou então está fazendo as coisas do jeito errado.

"A devoção fervorosa ao próprio negócio só pode ser mantida se muitas outras coisas forem negligenciadas."
ROBERT LOUIS STEVENSON

"O sentimento de estar sempre com pressa geralmente não resulta de uma vida plena na qual o tempo é escasso. Ao contrário, nasce de um medo vago de estarmos desperdiçando a vida. Quando não fazemos o que deveríamos estar fazendo, não temos tempo para mais nada e nos tornamos as pessoas mais ocupadas do mundo."
ERIC HOFFER

Experimentar o sentido mais profundo da vida é muito diferente do que geralmente se considera ser bem-sucedido. Obter sucesso financeiro não basta se a satisfação, a virtude e a verdadeira felicidade estiverem faltando. Isso ocorre em parte porque as pessoas de sucesso não conseguem se dedicar a um estilo de vida mais holístico e espiritualizado. As conseqüências são a frustração, o estresse e a exaustão, que geram ansiedade, tiques nervosos, agitação e ataques cardíacos.

Quem vive para o trabalho procura refúgio em visões de plenitude, tranqüilidade, satisfação e felicidade em algum momento futuro, quando for capaz de reduzir o ritmo. Sua expectativa se volta para o dia em que finalmente terá bastante dinheiro ou para o momento em que se aposentar e puder começar a viver de fato. O problema é que esse dia raramente chega. Ou as pessoas morrem antes ou não conseguem relaxar e aproveitar a vida quando eventualmente têm tempo e dinheiro.

A prática mostra que é fácil se manter atarefado e depois reclamar da agenda sufocante. Sempre que *de fato* surge um tempo livre, é comum a pessoa se jogar na poltrona e ver televisão durante algumas horas, sem esquecer de reclamar da falta de atividades de lazer mais significativas. É necessário ter inteligência e coragem para reduzir o ritmo, ser você mesmo e viver de forma mais satisfatória.

Só encontra o equilíbrio quem sabe organizar suas prioridades e direcionar seu tempo e sua energia para as coisas que fazem a diferença. Comece estabelecendo uma ordem para os desafios, de acordo com a importância que eles têm em sua vida: esposa, filhos, saúde, desenvolvimento pessoal, trabalho, comunidade, satisfação espiritual e educação.

Cada pessoa sabe exatamente a qualidade de vida que deseja manter. Por isso, depende de cada um estabelecer as prioridades e decidir viver de acordo com elas. É possível ter um estilo de vida que coincida com seus valores mais profundos, se esse for o seu desejo.

Estar no controle de sua vida começa por você mesmo – não por seu chefe, seu governo, sua esposa, pela sociedade ou por qualquer outra pessoa ou instituição. Você pode escolher deixar de lado o excesso de trabalho e o materialismo em troca de mais atividades de lazer, mais um tempo para relaxar e para ficar com seus filhos e um trabalho mais recompensador. A decisão está em suas mãos.

Tudo na vida tem um preço.

Há um preço para quem não trabalha o bastante.

E um preço ainda mais alto para quem trabalha demais.

"O verdadeiro preço de cada coisa e o custo para quem deseja adquirir algo são o trabalho e o esforço de compra."

ADAM SMITH

Colocar em prática mudanças que promovam esse equilíbrio não é fácil, mas milhões de pessoas mostram que é possível. Elas conseguiram resolver suas questões emocionais e hoje passam mais tempo com suas famílias, em contato com a natureza, participando da vida comunitária e aproveitando os muitos prazeres simples que haviam deixado de lado ao se dedicarem à busca da riqueza. Você também pode fazer parte desse grupo. Tudo depende de querer pagar o preço para chegar lá.

É fácil acreditar que o sistema dificulta as coisas. Mas não é verdade: são as pessoas que se encarregam de fazer isso. Aceite essa realidade, sob pena de abrir mão de sua criatividade. Deixe de lado todas as desculpas e decida como mudar seu estilo de vida – isto é, se você tiver um estilo de vida.

Trabalhar é humano, estar ocioso é divino

No século XIX, ofereceram uma grande quantia para que o naturalista suíço Jean Louis Rodolphe Agassiz desse uma palestra. Ele recusou o convite: "Não posso me dar ao luxo de desperdiçar meu tempo ganhando dinheiro."

É pena que poucas pessoas atualmente tenham a mesma prioridade – sem dúvida, o mundo seria um lugar melhor para se viver. É bem verdade que a natureza da sociedade contemporânea exige que trabalhemos para pagar nossas contas. Quando nos excedemos no cumprimento dessa tarefa, o resultado imediato é a perda da tranqüilidade, da satisfação e da prosperidade.

Conscientemente ou não, muitas pessoas aceitam viver de acordo com as regras de sucesso e de bem-viver criadas pelas corporações, pelas instituições de ensino, pela mídia e pelas agências de propaganda. Poucas se questionam sobre a razão de estarem fazendo o que todos os outros estão fazendo. E, entre essas poucas, a maioria tem medo de tentar algo diferente, mesmo que o queira desesperadamente.

No que diz respeito a ganhar dinheiro e levar a vida numa boa, a maioria acha que o fundamental é trabalhar duro. Ledo engano. O importante é aprender como *não* trabalhar demais. Depois que a pessoa se acostuma a ser um workaholic, é difícil deixar o hábito, uma vez que ele traz uma forma perversa de gratificação. Além disso, a ética de trabalho estabelecida exerce uma forte influência – sob esse aspecto, o trabalho árduo é uma virtude, não importa quais sejam os efeitos colaterais.

A boa notícia é que, mesmo que você tenha trabalhado muito durante toda a sua vida, você pode se transformar rapidamente em uma pessoa preguiçosa, inteligente e produtiva. Os workaholics mantêm seu foco no número de horas trabalhadas, mas eu sugiro que você mire nos resultados. A diferença é impressionante.

O universo desafia você a responder às seguintes perguntas:

De que serve uma carreira com um alto salário se ela o deixa se sentindo estressado e infeliz?

De que serve ter uma casa enorme se você apenas dorme nela?

De que serve possuir uma coleção de objetos interessantes se você nunca tem tempo para aproveitá-los?

Acima de tudo, de que serve ter uma família se você raramente a vê?

"O sucesso é importante na medida em que coloca a pessoa em uma posição de poder fazer mais coisas das quais realmente gosta."
SARAH CALDWELL

Stephen M. Pollan, em seu livro *Live Rich* (Viva em abundância), adverte: "Ganhar dinheiro exige trabalho duro. Você precisa acordar cedo, trabalhar pesado o dia inteiro e dormir mais tarde que todos os outros. As únicas formas de faturar sem trabalhar são herdar uma fortuna ou ganhar na loteria."

Uma alternativa é adotar e seguir a premissa de milionários que construíram do zero sua própria fortuna, como Robert Ringer, autor do livro *Million Dollar Habits* (Os hábitos de um milhão de dólares), e Robert T. Kiyosaki, autor de *Pai rico, pai pobre*. Eles dizem que, se você fizer de sua mente seu maior patrimônio, o dinheiro não será um problema. E garantem que, se você investir uma parte razoável do que ganha, não será difícil multiplicar o valor. Em outras palavras, não é o trabalho duro, mas a criatividade e os investimentos inteligentes que levam a bons resultados financeiros – e, por tabela, ao sucesso.

O duque de La Rochefoucauld, escritor francês do século XVII, disse: "O maior dos dons é o poder de estimar corretamente o valor das coisas." É aí que está a raiz do problema. A maioria das pessoas valoriza demais o trabalho e de menos o lazer. Ainda que o trabalho traga muitos benefícios, as pessoas tendem a ignorar seus efeitos nocivos.

A fim de melhorar a qualidade geral de sua vida, você deve pensar mais e trabalhar menos – inclusive questionar seus valores referentes a trabalho e lazer. William Faulkner falou sobre o assunto com propriedade: "O mais triste é que a única coisa que um homem pode fazer durante oito horas por dia, todos os dias, é trabalhar. Você não pode comer durante oito horas por dia nem beber nem fazer amor – tudo o que pode fazer durante oito horas é trabalhar. Essa é a razão pela qual um homem se torna, e torna seus semelhantes, tão infeliz e miserável."

Nem sempre o trabalho esteve tão bem cotado como nos dias de hoje. Os filósofos gregos da Antiguidade, como Platão e Aristóteles, consideravam o lazer a maior das riquezas. Eles criticavam aqueles que continuavam a trabalhar mesmo depois de satisfeitas suas necessidades básicas. Em sua opinião, buscar o luxo, o status e o poder pelo trabalho era uma forma voluntária de escravidão, que não acrescentaria nada à condição humana, a não ser acobertar o medo da liberdade.

Além disso, não associavam o lazer ao ócio e à preguiça. Para eles, o lazer estava em um nível muito mais alto do que o trabalho – "uma atividade não passiva em que a mente e o corpo estão em

Saiba quando se esforçar no trabalho.

Mais importante ainda – saiba quando não é preciso trabalhar, e sim relaxar e se divertir.

Isso não apenas lhe trará um enorme benefício, mas também surpreenderá seus amigos e colegas.

"É em nosso ócio e em nossos sonhos que a verdade submersa algumas vezes vem à tona."
VIRGINIA WOOLF

ação, não em muda contemplação", nas palavras de Platão. Ou seja, o tempo de descanso era uma oportunidade para as pessoas exercitarem o corpo e a alma de formas novas, estimulantes e satisfatórias.

As longas jornadas de trabalho são um hábito recente, que surgiu durante a Revolução Industrial. Os antropólogos mostram que, na Europa medieval, os camponeses trabalhavam menos do que os trabalhadores rurais de hoje. O tempo dedicado ao lazer nas antigas Grécia e Roma também era mais abundante: praticamente 1/3 do ano (109 dias em 355) era considerado inadequado para propósitos comerciais ou de trabalho.

Confirmando esses dados, nas poucas sociedades não industrializadas que ainda restam hoje, ainda se trabalha menos do que nos países do Primeiro Mundo. Os homens das Ilhas Sandwich, no Havaí, dedicam em média quatro horas por dia ao trabalho, assim como os aborígines da Austrália fazem apenas o necessário para satisfazer suas necessidades.

Para surpresa dos workaholics de plantão, os membros dessas comunidades levam vidas felizes e satisfatórias e têm menos desejos do que as pessoas no restante do mundo. Faz sentido. Afinal, uma vida cheia de significado e de prosperidade não deveria se basear apenas em um trabalho satisfatório e no acúmulo de posses materiais. Também deveria incluir atividades de lazer que desenvolvam a mente, o corpo e o espírito e apresentem desafios e recompensas.

O ideal é ter uma abordagem mais holística da vida, integrando aspectos materiais com aspectos espirituais. Infelizmente, poucos se dispõem a fazer o que é necessário para chegar a esse ponto. Ao contrário do que acreditam os workaholics, você não precisa trabalhar durante 16 horas todo dia para poder se divertir em algum momento futuro. Não vale a pena correr o risco de sacrificar a felicidade de hoje em nome de um amanhã próspero. E se na hora de se aposentar e aproveitar a vida você for atropelado por um ônibus? Você será, então, ao mesmo tempo um morto e um cabeça-dura.

O trabalho é o último refúgio das pessoas improdutivas e insatisfeitas

Talvez você se identifique com as pessoas cuja necessidade de ganhar a vida saiu do controle e se tornou uma obsessão, mas que no fundo desejam mais prazer, mais aventuras, mais satisfação, mais felicidade – em suma, uma melhor qualidade de vida.

Se você admite que trabalha em excesso e que nunca encontra tempo para relaxar e aproveitar a vida, o problema é maior do que imagina: você provavelmente já é um workaholic ou está prestes a se tornar um.

A maioria das pessoas está ocupada demais trabalhando em projetos insignificantes e se dedicando às frivolidades da vida para usar suas habilidades criativas.

É um erro ser uma delas.

"Pequenas coisas afetam mentes pequenas."
BENJAMIN DISRAELI

"Qualquer um pode realizar uma enorme quantidade de trabalho, contanto que não seja o trabalho que deveria estar sendo realizado naquele momento."
ROBERT BENCHLEY

Dado que a sociedade e muitas empresas apóiam a mentalidade workaholic, é fácil entender por que tantas pessoas adotam esse estilo de vida, apesar de ele não proporcionar substância ou satisfação. Trata-se de uma situação patética, pois estudos recentes mostram que metade de toda a força de trabalho na faixa de 25 a 44 anos trabalha tanto que não tem tempo suficiente para desfrutar a companhia dos amigos e da família.

Em geral, essas pessoas trabalham horas a fio, tiram pouco tempo de férias e criam uma relação de dependência emocional com a empresa. Em vez de procurar conforto junto aos amigos, à família ou à igreja, elas buscam o reconhecimento de seus chefes ou dos colegas de trabalho. É triste pensar que o trabalho se tornou a fonte primária de auto-estima e de aprovação.

Os terapeutas têm recebido cada vez mais pacientes em crise de identidade. O psicólogo americano Maynard Brusman declarou, em uma entrevista à revista *Fast Company,* que "o local de trabalho tornou-se uma espécie de centro comunitário, onde os funcionários se exercitam, recebem massagens, vão a festas. Quando eles chegam ao consultório, estão ansiosos e não sabem a razão. É como se tivessem sido envolvidos pela cultura da empresa. Se você me perguntar se isso é saudável, pelo que tenho visto, eu diria que não, não é nada saudável".

Manter um ritmo frenético de trabalho tem um preço. Na verdade, a fadiga física e mental já é uma coisa corriqueira. Trabalho demais, assim como exercícios em excesso, esgota todas as suas reservas de energia. Pesquisadores da área de saúde concluíram que esse tipo de exagero pode levar ao surgimento de doenças tais como úlceras, problemas na coluna, insônia, depressão e ataques cardíacos.

Uma vida equilibrada requer investimento emocional, não apenas financeiro. Isso pressupõe uma mudança na relação com o trabalho. Não acredite que o workaholic é um ser inteligente e heróico. Nada disso. Como ele investe tudo no trabalho, só tem por companhia o perfeccionismo, a compulsão e a obsessão. Nada resta para os amigos, para a família e para ele próprio. Alguns psicólogos chegam a dizer que, no limite, um workaholic apresenta sintomas de um tipo de desordem mental que leva ao vazio espiritual.

Muitos chegam a trabalhar quando estão doentes, e evitam as atividades sociais e de lazer. E isso vale mesmo se forem casados e tiverem filhos. O sociólogo Arlie Hochschild, autor do livro *The Time Bind: When Work Becomes Home and Home Becomes Work* (As amarras do tempo: quando o trabalho se torna o lar e o lar se torna o trabalho), concluiu que as pessoas passam muito tempo no trabalho não porque seus patrões exijam isso, mas porque querem fugir do tumulto da vida familiar. Esses desajus-

Eis aqui algo em que pensar com cuidado:

Trabalhar é humano, estar ocioso é divino.

"Meu pai ensinou-me a trabalhar, não a amar o trabalho. Eu nunca gostei de trabalhar e não nego esse fato. Preferia ler, contar piadas, falar, rir – qualquer coisa que não fosse trabalho."
ABRAHAM LINCOLN

"Vivemos em uma cultura baseada no excesso, na superprodução; o resultado é uma perda contínua de percepção em nossa experiência sensorial. Todas as condições da vida moderna – sua plenitude material, sua completa saturação – se unem para entorpecer nossas faculdades sensoriais."
SUSAN SONTAG

tados domésticos e sociais rejeitam o crescimento interior ou as experiências divertidas.

Os workaholics não são pessoas de personalidade forte. Ao contrário, têm caráter fraco e nenhuma vontade de aproveitar o que a vida tem de melhor. Para completar, dão pouca importância à saúde e à felicidade. Enfim, são limitados e inseguros a respeito de suas habilidades, do contrário não passariam tanto tempo trabalhando.

Para superar a obsessão com o trabalho, explore seus passatempos favoritos e torne sua vida mais rica e satisfatória. Mergulhar no trabalho não é a solução para uma vida sem sentido. Se você conseguir viver bem trabalhando apenas quatro horas por dia, faça isso e não se preocupe com o que os outros vão pensar. Crie sua própria definição de sucesso e desenvolva um forte sentido de independência em relação a seus colegas de trabalho.

O segredo é nunca deixar que outros o pressionem a trabalhar tanto quanto eles. Diga a seus colegas e supervisores que você é produtivo e próspero demais para trabalhar mais do que oito horas por dia. Você não é obrigado a fazer hora extra só porque os outros estão fazendo. Um gerente perspicaz saberá reconhecer o seu valor e respeitará sua decisão de levar uma vida equilibrada.

Para que você não pense que sou um hipócrita dando conselhos que eu mesmo não teria coragem de seguir, quero deixar claro que não é o caso. Há muitos anos, quando eu trabalhava como professor em uma escola particular, recebi um memorando desagradável. De acordo com o que estava escrito, a partir daquele dia todos os professores deveriam chegar às oito da manhã e ficar na instituição até às cinco da tarde.

Mesmo que ninguém tivesse protestado, decidi que não iria obedecer. Tinha sido contratado com a condição de ter liberdade para entrar e sair à hora que quisesse, contanto que cumprisse minha obrigação de dar aula nos horários determinados. Minha liberdade e minha vida pessoal eram importantes demais para que eu gastasse nove horas por dia no trabalho. No dia seguinte, quando eu estava indo embora, um supervisor perguntou: "Você já está de saída, Ernie? São apenas três horas." Respondi: "Sim, Joe, estou de saída. Sou próspero demais para trabalhar depois das três da tarde. E você?"

Enquanto o supervisor tentava desesperadamente arrumar uma resposta, saí do prédio alegremente a caminho de um pouco de relaxamento e de contato social real em um dos meus cafés prediletos. Como era muito bem-conceituado pelos estudantes, ninguém ousou me questionar novamente sobre meus horários. O supervisor que havia me desafiado era muito malvisto pelos

O lema do preguiçoso bem-sucedido:

Não importa sua eficácia e rapidez na realização de determinada tarefa; deve haver uma forma mais eficiente e competente de realizá-la.

"Se houver uma forma mais difícil de fazer uma coisa, alguém a encontrará."

RALPH E. ROSS

estudantes. Sua dedicação não se traduzia em um bom desempenho na sala de aula.

Aliás, não há nada de surpreendente nisso: as empresas estão cheias de colaboradores que trabalham 14 horas por dia, mas ainda assim produzem menos do que quem trabalha meio expediente. Isso demonstra outra característica importante da maioria dos workaholics: eles são, em geral, pouco produtivos.

O trabalho, mesmo quando tedioso e chato, é a salvação dos workaholics. Eles usam suas atividades profissionais como uma desculpa para evitar as responsabilidades familiares, a vida social ou mesmo o cuidado com o corpo e a saúde. Demorar mais tempo do que o necessário no trabalho, conscientemente ou não, os exime de fazer o esforço necessário para exercitar e melhorar seu bem-estar geral.

Por mais que possa parecer estranho, o trabalho é o último refúgio das pessoas ineficazes e improdutivas. O ócio criativo e as atividades de lazer requerem iniciativa e imaginação, enquanto a rotina diária requer pouca iniciativa e quase nenhum pensamento criativo. Eles acham bem mais fácil executar tarefas criadas por outras pessoas do que encontrar energia e iniciativa para dedicar-se a atividades que poderiam trazer significado às suas vidas. Se os workaholics tivessem um objetivo e um propósito na vida, saberiam aproveitá-la melhor.

De acordo com o senso comum, se você não for alguém extremamente ocupado e estressado, não será considerado alguém importante. O problema é que estar ocupado e ser produtivo são duas coisas completamente diferentes. Não ter tempo para nada não leva ninguém ao sucesso, do contrário haveria muita gente se achando mais bem-sucedida e menos gente alegando estar sem tempo. O essencial é ser eficaz, não ocupado.

Quem ganha mais dinheiro em qualquer empresa é quem sabe como fazer as coisas de formas inovadoras. Esse tipo de pessoa percebe que as longas jornadas de trabalho nem sempre se traduzem em maior produtividade.

A maioria das coisas que merecem ser feitas não exige grandes esforços

As coisas que não valem a pena são as que mais desperdiçam nosso tempo. No trabalho, por exemplo, perde-se muito tempo navegando pela internet, dando telefonemas pessoais e batendo papo com os colegas. Quem faz isso, no final do dia, reclama que precisa trabalhar duas ou três horas a mais, mas a verdade é que gasta um tempo precioso com tarefas muito pouco importantes em vez de levar uma vida produtiva, satisfatória e feliz.

O problema não é a falta de tempo, e sim o modo como lidamos com ele. As pessoas mais produtivas e mais prósperas preferem direcionar seu foco para algumas poucas atividades importantes. Elas usam seu tempo de forma eficaz e diferenciada e mantêm um ritmo confortável.

Usar o tempo de maneira eficiente pode minimizar o conflito

É uma ilusão se considerar uma pessoa produtiva apenas porque trabalhou 14 horas em um dia.

Você será realmente produtivo quando fizer o mesmo trabalho em quatro horas e aproveitar as outras 10 para curtir as boas coisas que a vida pode lhe oferecer.

"As pessoas bem-sucedidas são aquelas que conseguem manter o resto do mundo ocupado."
DON MARQUIS

entre o trabalho e a vida pessoal. Para isso, é essencial direcionar sua atenção para projetos com possibilidade de gerar um bom retorno financeiro e para as atividades de lazer que lhe dão maior satisfação. Não por acaso, os workaholics se sentem importantes se trabalharem de forma extenuante em projetos pouco produtivos.

A verdade é que temos a tendência de complicar as coisas. Especialmente quando nos deixamos influenciar pelas pessoas que acreditam que "qualquer coisa que mereça ser feita merece ser bem-feita". Se você acreditar nesse disparate, estará fora do jogo antes mesmo que a partida comece. Sem contar que terá investido uma quantidade absurda de tempo, energia emocional e dinheiro e não receberá nada valioso em troca.

No Capítulo 1 enfatizei a importância de dar o máximo de si e investir tudo nas coisas importantes, e poupar-se do que não vale a pena. As pessoas que aprendem a buscar a excelência no que realmente interessa, em vez de tentar obter um grande desempenho em tudo o que fazem, são capazes de dar uma guinada de 180º em suas vidas.

Não disperse sua atenção em projetos de baixa prioridade. Mesmo que a proposta seja interessante, isso não a torna vantajosa. A grande pergunta é: qual é a sua contribuição? Questione se o projeto é realmente fundamental e se ele lhe trará satisfação e felicidade. Se você investir seu tempo nas coisas erradas, nunca produzirá o bastante.

Todas as coisas que merecem ser bem-feitas não precisam ser perfeitas

Para ser bem-sucedido, você deve se concentrar no que é importante. Ainda assim, é preciso ter cuidado. Vale a pena fazer todas as coisas muito bem-feitas, mas sem exagero. É como preparar um bom jantar. Todas as etapas devem ser executadas da melhor forma, mas sem passar do ponto.

Perfeição e excelência são coisas muito diferentes. Buscar a excelência significa dar o melhor de si de acordo com o que você tem à sua disposição. Dessa forma, é possível obter resultados de qualidade através do uso eficiente de recursos limitados. Por outro lado, fazer as coisas tendo a perfeição em mente envolve tentar atingir o impossível. Essa atitude leva invariavelmente à ineficiência e à ineficácia, e, também, a resultados muitas vezes duvidosos.

Gostaria de compartilhar um exemplo pessoal: quando comecei a escrever *The Joy of Not Working* (O prazer de não trabalhar), no dia 1º de janeiro de 1991, fixei um prazo de sete meses para completar a versão preliminar do texto. Como consegui terminar um dia antes do prazo, mostrei o manuscrito para que amigos pudessem ler e sugerir mudanças. Já que o programa que usei para escrever não tinha corretor ortográfico, sabia que tinha deixado passar alguns erros de digitação e de gramática. Se eu

Não importa quanto você gosta de seu trabalho; é perigoso confundi-lo com sua vida.

Se a sua identidade for o seu trabalho, você corre o risco de perder a identidade ao se aposentar ou ser demitido.

Triste, não?

"Eles se intoxicam com o trabalho para não verem como são de fato."
ALDOUS HUXLEY

fosse um editor profissional, teria contratado um revisor para fazer o trabalho, mas preferi confiar nos editores voluntários que estavam me ajudando.

Após fazer todas as mudanças, levei o livro para a gráfica e ele ficou pronto dentro do prazo que me impus. Certamente outros editores poderiam ter finalizado o livro com mais qualidade, especialmente no que diz respeito à revisão ortográfica e gramatical. Mas eu consegui colocar o livro no mercado muito antes dos competidores, o que me rendeu mais publicidade numa época crucial antes do Natal. Depois que o livro já tinha vendido 30 mil exemplares, o que o alçava à categoria de best-seller no mercado canadense, decidi fazer uma edição atualizada. Dessa vez usei um processador de textos com corretor ortográfico, o que me levou a descobrir que a edição original continha 150 erros ortográficos. Isso por acaso afetou as vendas?

Até onde posso dizer, nem um pouco. Ainda que eu tenha recebido uma carta de um professor irritado com o número de erros ortográficos, mais de 99% das 600 cartas que recebi sobre o livro eram positivas e não mencionavam erros ortográficos. O meu ponto de vista é o seguinte: se eu insistisse em fazer um livro perfeito, ainda estaria trabalhando nele 10 anos depois. Por outro lado, editá-lo da melhor forma possível dentro daquelas condições e prazos me permitiu ter uma boa renda nesse período.

Sei que isso pode soar estranho, mas acredito que o perfeccionismo pode ser tão ruim quanto a mediocridade, pois as duas coisas levam à insatisfação, à infelicidade e ao insucesso. "A essência do homem é a imperfeição", declarou Norman Cousins.

É natural que você eventualmente se deixe levar pela mania de perfeição, mas lembre-se de que fazer algo sem falhas é simplesmente impossível. Não existe o livro perfeito, nem a refeição perfeitamente preparada, nem o relatório perfeitamente escrito, nem tampouco o cliente perfeitamente satisfeito. O importante é resistir a esse impulso, da mesma forma que é preciso resistir à tentação de se conformar com a mediocridade. O importante é não ter a sensação de que poderia ter feito as coisas melhor do que outros fariam.

Você não precisa ser perfeito para se considerar bem-sucedido. É paradoxal a idéia de que o que impede as pessoas de se tornarem especialistas em alguma coisa seja o fato de tentarem ser boas demais naquilo. O segredo é lutar para ficar em algum lugar entre a mediocridade e a perfeição. Para isso, basta fazer o melhor que puder dentro das circunstâncias e dos recursos disponíveis. Mas lembre-se: só vale a pena investir no que é importante.

Os workaholics não são pessoas produtivas.

Pelo contrário.

Um workaholic demora duas vezes mais para fazer a metade das coisas que um preguiçoso bem-sucedido faria.

"Há apenas quatro tipos de militar. Em primeiro lugar, há os preguiçosos e os imbecis. Deixe-os em paz, pois não farão nenhum mal. Em segundo, há os inteligentes que trabalham duro. São excelentes oficiais burocráticos. Em terceiro, há os imbecis que trabalham duro. Esses são uma ameaça – devem ser demitidos imediatamente, pois atrapalham todo mundo. Por último, há os inteligentes e preguiçosos. Esses são os mais adequados para os altos postos."

GENERAL VON MANSTEIN, SOBRE OS OFICIAIS ALEMÃES

Sua ferramenta mais eficaz para ter sucesso é o princípio 80/20

Se há uma coisa capaz de equilibrar sua vida, é o princípio 80/20. Ele foi descoberto pelo economista italiano Vilfredo Pareto há mais de um século. Seguir essa regra é uma forma poderosa de lidar com a falta de tempo e evitar tornar-se um workaholic. Eu mesmo a adotei de modo a poder trabalhar apenas quatro ou cinco horas por dia e manter um ritmo de vida feliz e prazeroso.

De modo geral, o princípio 80/20 diz que os primeiros 80% de nossa produtividade vêm dos primeiros 20% de nosso tempo e esforço. Isso faz com que sobrem apenas 20% de nossa produtividade para ser alcançados nos 80% restantes de tempo e esforço. Portanto, 80% de nosso tempo e esforço resultam num retorno relativamente insignificante.

Talvez você já tenha lido muitos artigos a respeito do princípio de Pareto, mas pode não ter compreendido ainda seu verdadeiro potencial, que é ajudar indivíduos e empresas a alcançarem resultados melhores com menos tempo, dinheiro e esforço.

O princípio 80/20 se apóia na mesma premissa deste livro – de que para obter mais sucesso na vida é preciso trabalhar menos, porém pensar mais do que os outros. Sem dúvida, pensar dessa maneira pode fazer com que você consiga mais coisas com muito menos esforço. Quem não quer trabalhar menos, ganhar mais dinheiro e aproveitar melhor a vida pessoal? Seguindo diariamente o que Pareto prega, você tem a chance de se tornar rico a longo prazo.

Talvez você esteja se perguntando: se esse princípio é tão eficaz, por que não é usado por todos? A resposta é simples: ele requer pensamento criativo e uma pitada de personalidade forte e estilo anticonvencional. Como são raras as pessoas que possuem essas características, sobra pouca gente para colocar em prática o princípio 80/20.

Albert Schweitzer era categórico: "Pense primeiro, aja depois." Muitas pessoas não seguem o seu conselho à risca e se envolvem de forma frenética em muitas atividades sem nunca refletir sobre a razão de seu comportamento. Elas se esforçam demais para obter pouco retorno, o que as leva a um estado permanente de estresse e falta de tempo.

Decidir quais atividades são importantes e que nível de comprometimento você está disposto a ter é mais do que essencial para atingir um estilo de vida equilibrado. Segundo Goethe, "as

Quanto menos trabalho tem um workaholic, mais tempo levará para completar a tarefa.

O workaholic realizará a idéia mais simples da forma mais complicada.

Nenhum problema é tão pequeno que um workaholic não possa torná-lo realmente grande, nem tão grande que ele não possa torná-lo ainda maior.

Uma tarefa trivial que não merece ser executada por um preguiçoso bem-sucedido é uma tarefa que merece o zelo excessivo de um workaholic.

Um workaholic muitas vezes trabalha para encontrar soluções para um problema que já foi esquecido há anos.

"Trabalhar com certas pessoas é um pecado tão grave quanto o ócio."

SAMUEL BUTLER

coisas mais importantes nunca devem ser deixadas à mercê de coisas sem importância". E fácil notar que muito do que fazemos na vida tem pouco valor quando se trata de nossa felicidade e satisfação.

Considerando-se a alta probabilidade de que você gaste 80% de seu tempo em atividades desimportantes, sugiro que você repense seu engajamento nesse tipo de atividade. Para aumentar sua produtividade, precisa abrir mão de 80% das coisas que geram apenas 20% dos seus resultados. Eliminando metade das tarefas inúteis, você vai abrir mais espaço para o lazer em sua vida.

Para começar, deixe de lado a mania de perfeição. Depois, abra mão de projetos de estimação que não agregam valor em relação às suas necessidades. Se você aprender a identificar a melhor relação custo-benefício, vai conseguir maximizar os resultados das áreas mais produtivas e deixar de lado as áreas que geram déficit.

No caso específico de você ser autônomo ou ter um negócio próprio, o princípio de Pareto permite que você ganhe mais e trabalhe menos ao escolher as coisas certas para fazer. Isso não apenas vai contribuir para aumentar seus rendimentos como também o seu tempo livre. Mesmo que você trabalhe em uma grande empresa, adotar o princípio 80/20 irá ajudá-lo a produzir duas ou três vezes mais do que a média.

Aplique essa regra em todas as áreas da sua vida. A partir dela, você pode usar sua criatividade para viver da forma como sempre sonhou. Ao atingir o equilíbrio, o trabalho se torna mais agradável e satisfatório, especialmente porque produz melhores resultados com menos esforço e tempo. O segredo para uma vida satisfatória é trabalhar tão duro quanto for necessário para ter um padrão de vida confortável, mas tão pouco quanto for possível.

Reduza o ritmo e seus dias serão mais longos

Tempo, supostamente, é dinheiro. No entanto, ele é mais valioso. Se você perder dinheiro, pode substituí-lo ganhando mais dinheiro. Fazer o mesmo com o tempo é impossível, como bem disse Benjamin Franklin: "O tempo perdido jamais será reencon-

A incompetência é muitas vezes o maior defeito do workaholic.

O que os workaholics não fazem é mais importante do que o que eles fazem.

Tenha em mente, contudo, que isso não significa que o workaholic falhou completamente.

Eles sempre podem servir como exemplos de bons empregados que se tornaram ruins ou como exemplos de maus empregados com potencial para se tornarem mais criativos e produtivos.

"Um número considerável de pessoas usa o trabalho intenso para se proteger do surgimento de sérios distúrbios neuróticos."
KARL ABRAHAM

trado." Nesse sentido, o dinheiro é ilimitado; o tempo não, embora as pessoas se comportem como se o oposto fosse verdadeiro.

No mundo estressado em que vivemos, o tempo é nosso recurso mais raro e finito. Tentamos fazer coisas em excesso, quando o ideal seria usar o tempo de forma mais sábia do que gastamos nosso dinheiro. Para ter o tempo a seu favor, não lute contra ele. É uma atitude tão inútil quanto lutar contra a Lei da Gravidade. Por isso, relaxe, não se apresse. O objetivo da vida não é passar por ela o mais rápido possível.

O bilionário Nicolas Hayek, que transformou a indústria falida de relógios suíços em um enorme império, disse o seguinte a respeito do tempo: "O tempo é ao mesmo tempo fantástico e terrível. É meu trabalho e minha vida. Ainda assim, odeio o tempo. Por quê? Porque não é possível pará-lo. Não é possível possuí-lo. Está sempre presente, mas, se você tentar agarrá-lo, ele desaparece. E não tente usar truques pessoais para enganar o tempo: ele sempre encontra uma forma de pegar você mais tarde."

Sua mente é poderosa, mas um de seus truques é fazê-lo acreditar que não é possível conquistar o equilíbrio entre o tempo dedicado ao trabalho e à vida pessoal. Não é melhor refazer as contas? Encontrar mais tempo é simples. Um estudo recente da Universidade da Pensilvânia indicou que o que consideramos falta de tempo é, em grande parte, um erro de percepção.

Na verdade, sempre arranjamos tempo para fazer as coisas que são importantes e agradáveis, mas temos o hábito de esbanjá-lo. Se fizermos um excelente uso de apenas 30 ou 40% de nosso tempo, não sentiremos sua falta. Pode parecer que a melhor forma de conseguir mais tempo é tentar realizar o máximo de coisas possível no menor tempo possível. Quem tentou fazer isso descobriu que ficou ainda mais sem tempo. "Quanto mais rápido vamos, mais para trás ficamos", diz o velho ditado.

Encher o dia com muitas atividades de lazer não contribui para a conquista de um estilo de vida equilibrado. As atividades que supostamente deveriam ajudá-lo a se livrar do estresse e a melhorar sua saúde podem ter o efeito oposto se você tentar fazê-las correndo. Da mesma forma, é impossível meditar corretamente se você estiver correndo contra o relógio.

No ambiente corporativo, o gerenciamento de tempo é freqüentemente alardeado como uma ferramenta eficiente para que tenhamos mais tempo para nós mesmos. O problema desse tipo de técnica gerencial é que você continua dedicando muito esforço e tempo a coisas que não são importantes.

Isso poderá surpreendê-lo:

Às vezes, menos é mais.

O essencial é concentrar seus esforços nos lugares certos e mantê-los lá.

"Uma das principais razões por que os homens muitas vezes são imprestáveis é que eles dividem e desviam sua atenção entre uma infinidade de objetivos e atividades."

G. Emmons

"Faça a coisa certa em vez de tentar fazer tudo certo."

Peter Drucker

Em vez de *gerenciar* o tempo, você deve *transcender* o tempo. Parte da experiência de ser um preguiçoso bem-sucedido é a habilidade de fazer as coisas do seu jeito, no seu ritmo. Ainda que todo mundo esteja acelerando o ritmo, não tente fazer o mesmo. Assuma o controle de seu espaço físico e psíquico e não permita que os outros afastem você de seu caminho.

Para se tornar mestre de seu tempo, basta reduzir o ritmo da vida. Não lute contra o tempo, domine-o. A imersão e o envolvimento completos em qualquer atividade, seja a preparação de seu primeiro livro, seja um passeio no parque, seja conversar com o vizinho ou tomar um banho, farão com que o mundo se renda a você.

Da próxima vez que achar que não tem tempo para aproveitar um pôr-do-sol, pense duas vezes. Você perceberá que o momento mais importante para fazer algo desse tipo é exatamente quando não há tempo para fazê-lo. Passar 10 minutos olhando o sol se pôr é muito mais estimulante do que ficar correndo de um lado para outro por várias horas.

Quanto mais pores-do-sol você puder aproveitar, mais relaxado e feliz será. Além disso, perceberá a importância de usar o princípio 80/20 para reduzir a quantidade de atividades de forma que possa extrair mais do que lhe interessa. Você não precisa pedir desculpas a ninguém por estar aproveitando a vida.

Você deve ter clareza sobre o que realmente importa e mais ainda sobre o que não importa.

Somente então poderá compreender de fato o que é mais importante – e ignorar o que não tem nenhum valor.

"A infelicidade é não saber o que desejamos e nos matar para consegui-lo."
DON HEROLD

"O tempo bem planejado é a marca mais nítida de uma mente organizada."
SIR ISAAC PITMAN

CAPÍTULO 6

O CAMINHO PARA O SUCESSO DEVE SER MAIS INTERESSANTE DO QUE CHEGAR LÁ

Nunca é demais enfatizar:

- Escolha as suas atividades com sabedoria.
- Empregue seu tempo e sua energia em poucas coisas importantes em vez de em muitas sem relevância.
- Uma vez aprendida a lição, você terá conquistado mais sucesso e felicidade do que em seus sonhos mais ambiciosos.

"Nada tem muita importância; poucas coisas têm alguma importância."
EARL BALFOUR

"Você ama a vida? Então não perca tempo, porque é dele que a vida é feita."
BENJAMIN FRANKLIN

Apenas os tolos estão com pressa de chegar a algum lugar a que vale a pena ir

Talvez você sonhe em juntar uma pilha de dinheiro que faça Bill Gates e Oprah Winfrey, a famosa apresentadora de televisão, parecerem uma dupla de indigentes. Ou, quem sabe, não queira ganhar um Prêmio Nobel, um Oscar ou um Emmy. Não há nada de errado em ter seu nome brilhando em grandes letras de neon; o importante é ter consciência de que isso não acontecerá da noite para o dia. Pode até ser que nunca aconteça, especialmente se você não relaxar e aproveitar a vida enquanto luta para chegar ao lugar onde deseja estar.

Ao contrário do que muita gente pensa, o sentido da vida não é ficar famoso e rico de forma rápida e com o menor esforço possível, sem se importar de como chegar lá. No mundo moderno, as promessas de sucesso rápido e fácil são abundantes e, como a gratificação instantânea é o que impulsiona as pessoas, muita gente embarca nessa onda. Mas os efeitos colaterais são muitos – no mínimo, ela atrasa ou impede seu sucesso, e pode até levar à falência.

É legítimo sonhar em ficar rico rapidamente para poder largar seu emprego e começar a aproveitar a vida no que ela tem de melhor. Mas sair correndo como um desesperado irá apenas afastar as coisas que desejamos: satisfação, saúde, paz interior e felicidade. A tensão constante não é boa para o seu bem-estar físico e emocional, ela afeta negativamente a sua saúde a longo prazo.

Os sábios irão dizer que apenas os tolos estão com pressa de chegar a algum lugar a que vale a pena ir. O importante é não esquecer as palavras de Thomas Shadwell: "A impetuosidade de um tolo é a coisa mais lenta do mundo." O verdadeiro sucesso, aquele que contribui para nossa satisfação e felicidade, requer ação, e também paciência. Pessoas impacientes raramente atingem seus objetivos e, se conseguem, normalmente levam muito mais tempo do que quem tem paciência.

Concentrar-se no sucesso em si, não no processo para atingi-lo, pode ser um caminho menos seguro de chegar lá. Este antigo poema de Chang Tzu nos avisa dos perigos de nos concentrarmos no prêmio em vez de no processo:

A NECESSIDADE DE VENCER
Quando o arqueiro atira a esmo,
Está no auge de sua aptidão;
Se mira em uma fivela,

Você tem pressa de se tornar bem-sucedido?

Em caso afirmativo, desde quando algo valioso foi criado de maneira inesperada e rápida?

"Prudência!
Quem mais corre mais tropeça."
WILLIAM SHAKESPEARE

Fica nervoso;
Se almeja um prêmio de ouro,
Fica cego
Ou vê dois alvos;
Fica fora de si!
Sua habilidade não mudou.
Mas o prêmio o divide. Ele se importa,
Ele pensa mais em ganhar
Do que em atirar a flecha –
E a necessidade de vencer
Drena todo o seu poder.

Sendo um preguiçoso bem-sucedido, você não precisa se apressar para atingir o sucesso. Ao reduzir o ritmo, você será capaz de usar toda a sua criatividade para ter idéias que possam fazer a diferença para a vida dos outros e para o mundo como um todo. Isso o colocará na posição ideal para implementar seus projetos e criar abundância no longo prazo. Paradoxalmente, quando você relaxa, o sucesso acontece fácil e rapidamente.

O que realmente importa não é o prêmio, mas a jornada e o comprometimento em aproveitar e se divertir com as aventuras que encontrar pelo caminho. Se você reduzir o ritmo e usar a imaginação, descobrirá possibilidades que os workaholics nunca conseguirão ver. Não ter pressa significa ter tempo para apreciar o que está acontecendo ao seu redor. É esse o verdadeiro sentido da vida, e sempre será.

Ao escolher tornar-se um preguiçoso bem-sucedido, você estará optando por ser a tartaruga esperta em vez de ser a lebre tola que sai correndo na tentativa de acumular tanta fortuna e fama quanto for possível. A tartaruga não se apressa porque sabe que não precisa acumular tantas coisas nem obter muito reconhecimento para alcançar a felicidade – ela experimenta a paz e a satisfação com o que já tem.

A vida seria realmente simples se metade do tempo que gastamos para complicá-la fosse usado para simplificá-la

Albert Einstein disse uma vez: "Tudo deveria ser tão simples quanto possível, porém não mais simples que isso." De fato, a vida é muito mais fácil quando simplificamos as coisas. Os acontecimentos inesperados já exigem o máximo de nossa criatividade sem que tenhamos que gerar nossas próprias dificuldades. Pena que, diante da escolha entre um caminho sem obstáculos e outro repleto de complicações, a maioria escolha a segunda opção.

Em geral, as pessoas tornam suas vidas muito confusas e depois ficam se perguntando por que estão com tantos problemas. Por mais que soe absurdo, há quem chegue a inventar uma nova dificuldade se não houver nenhuma disponível. Por que exatamente as pessoas tornam suas vidas difíceis é um mistério para filósofos e psiquiatras.

Eu apenas fico surpreso sempre que descubro quão longe se

Regra nº 1:

É bobagem ter pressa para adquirir as coisas insignificantes na vida.

Isso deixa pouco tempo para você conseguir o que é importante.

Regra nº 2:

Se você tem pressa de adquirir as coisas importantes, levará mais tempo para obtê-las do que se não tivesse pressa alguma.

"Nenhum homem com pressa é realmente civilizado."
WILL DURANT

pode ir para descobrir tantos métodos para complicar questões pessoais e profissionais. Desperdiçamos tempo, dinheiro e energia correndo atrás de coisas que não nos dão retorno algum e nos aproximamos de quem não acrescenta absolutamente nada. Pode-se dizer que grande parte dos humanos é masoquista.

Tanta desorganização e bagunça acaba levando as pessoas ao limite. Isso vale tanto para a vida financeira e profissional quanto para as questões familiares, os pensamentos e as emoções. Somos incapazes de realizar tudo o que gostaríamos porque somos dispersivos. Se usássemos metade do tempo que gastamos para complicar as coisas tentando simplificá-las, tudo iria melhorar.

Se você é do tipo que não sai de casa sem 80% de seus bens pessoais, está na hora de deixar um pouco mais leve a sua jornada pela vida. Livre-se das coisas que drenam seu tempo, seu espaço, seu dinheiro e sua energia. Descomplique a sua vida. Recuse-se a perder tempo com pessoas ou coisas que são irrelevantes, por exemplo.

Como um preguiçoso bem-sucedido aproveita a vida ao máximo, identifique o que não acrescenta nada a um temperamento tranqüilo. Aplique o princípio 80/20 tanto à sua vida profissional quanto à pessoal. Faça uma lista de coisas que perderam importância em sua vida e peça que os amigos dêem sugestões para simplificar as coisas. Eles certamente podem ver possibilidades em lugares que você não havia imaginado.

Sêneca, o filósofo romano, disse uma vez: "Nenhum homem pode nadar até a praia levando junto sua bagagem." Seja qual for o seu destino, você não pode se dar ao luxo de carregar excesso de peso. Nos trens e aviões, temos que pagar uma tarifa extra por isso, mas na viagem da "vida" o preço é muito maior. Na melhor das hipóteses, significará o não-cumprimento de metas, a negação do prazer e da felicidade e, em casos extremos, pode até custar a sanidade.

É fácil cair na armadilha de pensar que todo mundo leva uma vida mais fácil e mais satisfatória que a sua

Os economistas dizem que todos nós somos insaciáveis. Se esse fosse o caso, ninguém conseguiria ser feliz, o que não é verdade. É perfeitamente possível encontrar a felicidade, ainda que nem todos os nossos desejos sejam satisfeitos. Nesse sentido, há um provérbio em francês que diz: "O que você não pode ter é exatamente o que você deseja."

Para a maioria das pessoas, a vida ideal é sempre a dos outros.

A maioria das pessoas complica a própria vida mais do que o necessário.

Lembre-se de que basta um estúpido para complicar as coisas simples.

Contudo, é necessário um gênio para simplificar o que é complicado.

A escolha é sua: estúpido ou gênio?

"Nós enfrentamos o que é complexo e evitamos o que é simples."
NORMAN VINCENT PEALE

"Não há grandeza quando não há simplicidade."
LEON TOLSTÓI

Essa insatisfação nos faz sofrer, pois incentiva crenças irreais e desmedidas sobre o sucesso alheio. Achamos que os outros são mais realizados do que nós, embora isso não seja verdade. Experimente invejar os pobres e felizes. "Olho para o que não tenho e penso que estou infeliz; outros olham para o que tenho e pensam que sou feliz", já dizia Joseph Roux.

É fácil cair na armadilha de pensar que todo mundo leva uma vida mais fácil e mais satisfatória que a sua. Sempre há algum amigo, parente, colega ou celebridade com uma casa maior, um carro mais imponente, roupas mais chiques, trabalhos mais interessantes ou um parceiro mais atraente. Quão satisfeitos eles se sentem, contudo, é outra questão. Veja o que disse a cantora e atriz Barbra Streisand: "Não sintam inveja de mim, eu tenho meus próprios problemas."

Qual o sentido de admirar a sorte e a riqueza de alguém a ponto de você ficar insatisfeito com o que possui? Comparar sua posição com a de outros só pode levar ao desapontamento e à frustração. Experimente mudar de lado no jogo. Imagine que você nasceu no Afeganistão, onde a enorme pobreza, a falta de saneamento básico, as altas taxas de desnutrição, a violência constante e os crimes contribuem para uma expectativa de vida inferior a 48 anos.

Quando se sentir triste porque alguém tem algo que você não tem, pense nos bilhões de pessoas que adorariam trocar de lugar com você. Helen Keller sabiamente adverte: "Em vez de comparar o nosso destino com o daqueles que são mais afortunados, deveríamos compará-lo com o da maioria das pessoas. Certamente parecerá que estamos entre os privilegiados."

Muitas das pessoas que invejamos não são tão mais felizes assim. A inveja e a infelicidade andam lado a lado, o que leva você a pensar injustamente bem sobre outras pessoas e mal sobre si mesmo. O sentimento ideal a ser cultivado é o de satisfação e de felicidade pelo que os outros estão vivendo. Lembre-se de que a inveja é um fardo pesado para ser carregado porque ela espalha o desprezo e o ódio por onde passa. "A inveja é como ácido: ela corrói o frasco em que se encontra", diz o ditado popular.

Para superar esse tipo de sentimento mesquinho, a melhor estratégia é relaxar e celebrar as bênçãos que recebe. Seja grato pelo que a vida lhe proporciona – e há muito o que agradecer, se você prestar atenção. A gratidão faz muito bem à saúde, pois, quando você passa a apreciar as coisas que conquistou – sua família, sua casa, sua coleção de CDs, seus conhecimentos e sua criatividade –, não sobra tempo para invejar os outros.

Pegue emprestada a sugestão de Oprah Winfrey e escreva um diário de gratidão. No final de cada dia, anote suas bênçãos e ao

Saiba reconhecer quando já tem o bastante.

Muitas vezes um parece pouco, mas definitivamente dois é muito.

Isso se aplica não apenas a maridos e mulheres, mas a bens materiais também.

"Mais do que o suficiente é demais."
SABEDORIA POPULAR

"Nada é suficiente para quem acha que o bastante é muito pouco."
EPICURO

"Uma pessoa é rica na proporção do número de coisas que ela pode se dar ao luxo de não comprar."
HENRY DAVID THOREAU

menos cinco coisas maravilhosas que aconteceram com você naquele dia. Em pouquíssimo tempo, a inveja será uma coisa do passado e a felicidade fluirá naturalmente.

Aproveite a vida, mesmo que ela seja curta

Há uma história comovente que gosto de contar para lembrar que a tranqüilidade e a felicidade não são determinadas pela sua longevidade, e sim pela maneira como você aproveita a vida. É sobre uma pessoa que morreu de câncer no cólon aos 51 anos sem se lamentar uma única vez pela terrível doença. Ela possuía uma enorme alegria de viver, o que fez com que sua existência relativamente curta fosse divertida e satisfatória. "Seja como for, joguei uma boa partida", disse, um pouco antes de falecer.

O desafio é este – aproveitar a vida, mesmo que ela seja curta. De que adianta ser longevo e infeliz? Não faz sentido viver eternamente preocupado e estressado. Qual é o sentido de viver sem se divertir? É como morrer antes de se aposentar. Você nem precisa se preocupar com o que fará quando parar de trabalhar, pois já vive a crise desde jovem.

"Ó, Deus, chegar ao momento da morte e só então descobrir que nunca viveu de fato", disse o sábio Henry David Thoreau. Muitas pessoas com mais de 65 anos olham para trás com arrependimento. Gostariam de não ter se preocupado tanto com pequenas coisas e feito o que realmente queriam. Sentem-se culpadas por não terem tido outras prioridades.

Vamos fazer o seguinte exercício: imagine que você sabe que morrerá dentro de um mês. Em uma conversa com Deus, você diz: "Por favor, me dê outra chance, eu vou fazer o meu melhor." Deus lhe responde: "Tudo bem. Você pode ter mais um ano de vida, com plena saúde, para fazer tudo o que você sempre quis."

A pergunta é: o que você faria neste ano? Crie uma lista de atividades às quais você se dedicaria e coloque-a em sua carteira para lembrá-lo do que realmente importa. Em vez de ficar se lamentando da falta de tempo para desfrutar as coisas importantes, dedique-se a elas agora. A vida é curta, é melhor vivê-la.

A partir de hoje, tente viver cada dia como se ele fosse o último. Quando eventualmente chegar a hora de partir, você será capaz de dizer que jogou uma boa partida. Pode durar só um ano, mas que ano fantástico terá sido!

A melhor forma de atingir a felicidade a longo prazo é vivenciar uma felicidade constante a curto prazo. Adiar isso é o mesmo que adiar fazer sexo até a sua aposentadoria. Em ambos os

Identifique o que é importante.

Também identifique o que não é importante.

Então separe o que não importa e concentre-se no que importa.

Você está agora a caminho de todo o sucesso de que você precisa na vida.

"Se sua mente não está ocupada com coisas inúteis, este é o melhor momento de sua vida."
WU-MEN

"A habilidade de simplificar significa eliminar o que é desnecessário de forma que o necessário possa se manifestar."
HANS HOFMANN

casos, ninguém fica satisfeito. Outra coisa importante: pare de se preocupar com o que o futuro lhe trará. Aproveite o que você já tem, tome posse das coisas valiosas e dos talentos que você deixou escondidos em algum canto obscuro da sua mente – bons livros, amizades verdadeiras, dons artísticos, paixões e sonhos.

Haverá muitos dias em que tudo dará errado – na carreira, nas finanças ou na vida pessoal. Ainda assim, não reclame. Isso só servirá para distraí-lo das coisas boas que estão acontecendo ao seu redor. Em vez de prestar atenção no que há de errado, pense no que está certo. Invista seu tempo elogiando e expressando sua gratidão.

Faça todo o possível para não sacrificar o bem-estar de hoje em nome do dinheiro e das coisas materiais que você acha que lhe trarão felicidade no futuro. Pode acreditar: fama e fortuna não trazem a felicidade que você havia pensado que trariam.

Na busca do equilíbrio entre o trabalho e a diversão, inspire-se nos grandes personagens históricos: Madre Teresa, Dalai-Lama, Nelson Mandela e Mahatma Gandhi. Essas pessoas incríveis viveram ou vivem ainda com muito pouco, mas experimentaram a felicidade, a alegria e a satisfação pessoal ao longo de suas vidas, embora isso não fosse sua meta. Esses sentimentos positivos costumam ser a conseqüência natural quando as pessoas possuem objetivos que envolvem o bem comum da humanidade.

A alegria, por exemplo, é uma garantia quando se está totalmente dedicado a alguma atividade recompensadora. Nunca se esqueça de que a felicidade não é um destino, mas uma jornada, um efeito colateral de ter realizado bem um trabalho, ter boa saúde, cumprir seu papel, seguir seus objetivos, aceitar o inevitável, amar o mundo, demonstrar gratidão, ajudar os outros a serem felizes e viver de forma plena.

Todos nós devíamos ter como meta tornar nossa passagem pela Terra o mais próximo possível de uma experiência celestial. É exatamente isso o que grande parte dos mestres zen pregam: não há sentido em esperar pelo Paraíso. O Paraíso é aqui. É pegar ou largar. Faça o melhor com a paz, a saúde e o amor que você encontrar.

Seja lá o que for que o sucesso significa para você, sua jornada em direção a ele deve ser mais interessante que a chegada. Pode estar certo de que, se você estiver fazendo a coisa certa, de fato será.

O resto de sua vida começa exatamente agora. Ela pode ser muito mais do que já foi. Aproveite-a ao máximo, com todos os seus sentidos. Ouça seus sons, olhe suas cores, sinta seus sabores, seus odores, suas texturas. Deixe que seja uma vida maravilhosa.

Tenha cuidado com o sucesso.

Ele também pode causar sofrimento e depressão.

Reflita sobre o significado do sucesso e não se surpreenda quando descobrir que ele não trará toda a felicidade e paz interior que você imaginou.

"A vida é construída de tal forma que um acontecimento não deve, não pode nem poderá igualar-se às suas expectativas."
CHARLOTTE BRONTË

"Seja feliz com o que você tem.
Alegre-se pela forma como as coisas são.
Quando você se sentir pleno,
o mundo inteiro estará em suas mãos."
TAO TE CHING

CONHEÇA OUTROS IMPORTANTES
TÍTULOS DA EDITORA SEXTANTE

Levando a vida numa boa

Ernie Zelinski

A felicidade requer trabalho, mas não um trabalho intenso, como acredita a maioria das pessoas. Acima de tudo, a felicidade requer que se preste atenção à vida. No mundo de hoje, é muito fácil a gente se esquecer das coisas importantes que contribuem para a felicidade e ir atrás daquelas que não contribuem.

Por isso, todos deveríamos ter um livro como esse para ser consultado de tempos em tempos, para que nos ajude a ter uma vida mais intensa, feliz e tranqüila.

O ócio criativo

Domenico De Masi

Esse livro analisa não só os temas da sociedade pós-industrial, do desenvolvimento sem emprego, da criatividade e do tempo livre como também as questões da globalização, do declínio das ideologias tradicionais e do novo arranjo de classes.

O autor demonstra uma profunda insatisfação com o modelo social elaborado pelo Ocidente, sobretudo pelos Estados Unidos, centrado na idolatria do trabalho, do mercado e da competitividade. E propõe um novo modelo em que os indivíduos são educados a privilegiar a satisfação de necessidades radicais, como a introspecção, a amizade, o amor, as atividades lúdicas e o convívio.

Transformando suor em ouro

Bernardinho

Obstinado, persistente, perfeccionista e motivador, Bernardinho se tornou o maior técnico de vôlei da história do Brasil – e um dos grandes treinadores do esporte coletivo em todo o mundo. *Transformando suor em ouro* é a história de Bernardinho contada por ele mesmo, desde os tempos de jogador até a consagração como técnico com o ouro olímpico.

Mais do que relatar uma epopéia esportiva emocionante, o livro apresenta facetas desconhecidas do treinador e revela o "segredo" que fez dele um dos palestrantes mais requisitados por grandes empresas em busca de um diferencial competitivo no mundo dos negócios.

O motorista e o milionário

Joachim de Posada e Ellen Singer

Arthur é um motorista particular inteligente e interessado em aprender coisas novas. Ele trabalha para Jonathan, também muito inteligente e comprometido com tudo o que faz, só que milionário. Que fatores determinaram que Jonathan ocuparia o banco de trás da limusine e Arthur, a direção?

As respostas a essas e outras perguntas sobre a linha tênue que separa o sucesso do fracasso profissional e financeiro surgem naturalmente ao longo das conversas de Arthur e Jonathan. Com sua sabedoria e experiência, o empresário consegue despertar a curiosidade de seu motorista e levá-lo a dar um novo rumo à sua vida.

Você é o líder da sua vida

César Souza

César Souza usa uma narrativa de ficção para desmistificar alguns conceitos-chave do mundo dos negócios e nos transmitir uma nova noção de liderança. Não importa o papel que desempenhe – empresário, pai, vendedor, advogado, mecânico ou professor –, qualquer pessoa pode se tornar um líder.

Para apresentar suas idéias, o autor conta a história de um executivo diante de um impasse profissional. Angustiado, pede ajuda ao presidente da empresa onde trabalha e, em vez de obter respostas prontas, tem a oportunidade de descobri-las de uma forma inovadora e inusitada: viajando pelos cinco continentes em busca do exemplo de grandes líderes da atualidade.

O que aprendi com meu carteiro sobre o trabalho e a vida

Mark Sanborn

Esse livro conta a história de Fred, um carteiro que o consultor de liderança Mark Sanborn conheceu e por quem desenvolveu uma profunda admiração. Fred faz parte daquele grupo de pessoas que são mestras em transformar responsabilidades e tarefas comuns em algo de extremo valor e importância.

Você descobrirá o que faz com que profissionais como Fred sejam tão especiais e aprenderá a identificá-los e a se espelhar em seu comportamento. Saberá como construir relacionamentos que lhe permitam conhecer os outros o suficiente para ser criativo e tomar iniciativas que podem fazer uma grande diferença em todas as áreas da sua vida.

O monge e o executivo

James C. Hunter

John Daily é um executivo bem-sucedido que, de repente, percebe que vem fracassando como chefe, marido e pai. Em busca de um novo caminho para sua vida, ele decide participar por uma semana de um retiro num mosteiro beneditino.

Lá encontra Leonard Hoffman, um dos mais influentes e bem-sucedidos empresários americanos, que resolveu largar tudo para ir em busca da verdadeira essência da vida. Nesse livro extremamente envolvente, você vai aprender, junto com John Daily, princípios de liderança fundamentais para construir uma carreira de sucesso e uma vida em plena harmonia com as pessoas à sua volta.

Os segredos da mente milionária

T. Harv Eker

Se as suas finanças andam na corda bamba, talvez esteja na hora de você refletir sobre o que T. Harv Eker chama de "o seu modelo de dinheiro" – um conjunto de crenças que cada um de nós alimenta desde a infância e que molda o nosso destino financeiro, quase sempre nos levando para uma situação difícil.

Nesse livro, Eker mostra como substituir uma mentalidade destrutiva – que você talvez nem perceba que tem – pelos "arquivos de riqueza", 17 modos de pensar e agir que distinguem os ricos das demais pessoas.

Aprenda a escutar seu coração

Hugh Prather

Organizado em pequenos pensamentos sobre amor, amizade, coragem, generosidade, ambição e verdade, esse livro nos leva a repensar a maneira como vemos os outros, nossas relações e, sobretudo, nossos próprios sentimentos e atitudes.

De forma delicada e franca, o autor expõe aqueles sentimentos que tentamos esconder do mundo e de nós mesmos, nos fazendo compreender que o caminho mais fácil para alcançar a felicidade é aceitar a si mesmo e os outros exatamente como são.

Não leve a vida tão a sério

Hugh Prather

A vida não precisa ser tão complicada quanto insistimos em torná-la. A simples decisão de não se agarrar aos problemas pode melhorar – e muito – nossas vidas. É isso o que Hugh Prather nos mostra com humor e clareza. Ele escreve sobre as dificuldades do dia-a-dia e nos dá ferramentas para contorná-las, mudando o que há de mais importante na vida: nossa atitude mental e a forma de reagir aos inevitáveis contratempos.

Palavras positivas, mudanças significativas

Hal Urban

Nessa narrativa sensível e altamente inspiradora, Hal Urban traz uma mensagem simples, mas profunda e especial: as palavras positivas são um dos instrumentos mais poderosos de que dispomos para nutrir, fortalecer e restaurar relacionamentos. Elas nos permitem mudar vidas – tanto a nossa quanto a das pessoas ao nosso redor.

O autor mostra de que maneira podemos exercitar um tipo saudável de linguagem capaz de tornar mais prazerosas nossas relações familiares, afetivas, profissionais e sociais. E revela os resultados maravilhosos que conseguimos obter quando nos expressamos com mais cuidado, gentileza, respeito e gratidão.

O ritmo da vida

Matthew Kelly

O ritmo da vida o ajudará a abordar a questão de quem você é e por que está aqui. Matthew Kelly o ajudará a descobrir suas necessidades legítimas, suas aspirações profundas e seus talentos únicos. Ele o apresentará à melhor-versão-de-você-mesmo e o conduzirá a uma vida dotada de paixão e propósito.

Uma brilhante e perspicaz rejeição do modo de vida caótico que aprisionou o mundo, escrito com bom senso, humor e uma extraordinária inspiração, esse é um livro destinado a mudar vidas!

Os 100 segredos das pessoas de sucesso

David Niven

Baseado em centenas de estudos científicos, o psicólogo e cientista social Dr. David Niven organizou a lista dos 100 segredos mais simples que podem nos ajudar a ser bem-sucedidos.

Ele se debruça sobre as pesquisas que identificaram as práticas, princípios e crenças necessários para se ter sucesso. De forma simples e agradável, apresenta em cada capítulo uma dessas conclusões, acompanhada de um exemplo real e de um conselho que você deve colocar em prática se quer realmente "chegar lá".

A essencial arte de parar

David Kundtz

Você anda estressado, exausto, disperso, com a sensação de estar carregando o mundo nas costas? Está insatisfeito com sua profissão, seu casamento e sua vida de modo geral, mas segue em frente como se fosse empurrado pelas circunstâncias e não tivesse liberdade para definir suas prioridades?

Se você quer romper esse círculo vicioso e assumir o controle da sua vida, esse livro vai lhe ensinar três formas de parar e como cada uma delas é adequada a momentos diferentes.

INFORMAÇOES SOBRE OS PROXIMOS LANÇAMENTOS

Para receber informações sobre os lançamentos da EDITORA SEXTANTE, basta cadastrar-se diretamente no site www.sextante.com.br

Para saber mais sobre nossos títulos e autores, e enviar seus comentários sobre este livro, visite o nosso site www.sextante.com.br ou mande um e-mail para atendimento@esextante.com.br

EDITORA SEXTANTE
Rua Voluntários da Pátria, 45 / 1.404 – Botafogo
Rio de Janeiro – RJ – 22270-000 – Brasil
Telefone (21) 2286-9944 – Fax (21) 2286-9244
E-mail: atendimento@esextante.com.br